봄과 여름 사이3

일상애愛say

봄과 여름 사이 3

일 상 애 愛 say

발 행 | 2024년 5월 31일
저 자 | 인선민, 조연희, 차해민
기 획 | 손유진, 이주희
펴낸이 | 한건희
펴낸곳 | 주식회사 부크크
출판사등록 | 2014.07.15.(제2014-16호)
주 소 | 서울특별시 금천구 가산디지털1로 119 SK트윈타워 A동 305호
전 화 | 1670-8316
이메일 | info@bookk.co.kr

ISBN | 979-11-410-8702-9

봄과 여름 사이

3

인선민, 조연희, 차해민 지음

CONTENT

이주희가 본 일상애(愛)say

초록빛 너울, 향긋한 바람, 달큰한 온도에 떠 다니는 두리뭉실 뭉게구름.
5월은 그런 의미에서 내가 가장 애정하는 달이다. 좋아하면 굳이 은유하지 않아도 생각나는 단어들과 절로 표현되는 미소와 사랑으로 대변된다.

가장 사소하고 무심할 수 있는 일상에 우리는 얼마나 애정을 담으며 살아갈까. 바쁜 삶속에 일상까지 들여다 보며 보듬고 안고 살기엔 여유가 없겠지만 다른 시선으로 바라만 봐도 꽤나 의미있고 가치있는 삶의 일부이다.

아이들과의 하루가 정신없이 지나가도, 다시는 오지 않을 소중한 시간이고, 지옥같은 출퇴근길에 지친 일상도 내가 살아 숨쉬고 있음을 느낄 수 있는 삶의 한 조각 되어준다. 반복되는 일상이 무료하기도 하지만 다르게 생각해보면 나만의 작은 여유일 수도 있고 늘 먹는 음식, 늘 만나는 사람도 조금만 다른 시선으로 바라보면 정성 가득한 맛있는 음식에 세상에서 가장 감사한 사람일 수 있다.

무심히 지나쳐서 붙잡을 수 없을 만큼 빠른 시간이지만 깊은 시선으로 잠시 멈춰 바라보면 우리의 일상은 찬란하기 그지 없는 멈추고 싶은 순간들이 된다.

"사소한 것들이 늘어선 별일 없는 나날은
우리 생애 얼마나 잔잔하고 실팍한 근육인가.
매일 특별한 날을 기대하지 말라.
사는 중에 맞는 별일은 얼마나 자극적이고
통렬한 흔적을 남기던가 말이다.
어제 같은 오늘이 걸쳐진 바지랑대에 햇살이 비추고
바람이 부는 속으로 공기처럼 떠다니는 내 곁의 것들을
덤덤하게 보내고 맞이하는 나날,
그 속에서 무심히 호흡하고 웃으며 온전히 감사하는 삶,
그것이 곁에 머무는 사소한 것들에 대한 예의일 것이다.

[세상의 당신들-이수옥]

사소함을 조금 멈추어 바라보면 '그 날'의 '나'는 가장 아름다운 시간속에서 살고있는 가장 가치로운 한 인간이 된다. 빠르게 움직이는 무채색 사람들속에 미소지으며 바라보는 유채색의 나를 발견하는 일. 그렇게 일상에 사랑을 담아 말헤보며 사는것은 어떨까? 가다서다 반복되더라도 나아가고 있음에 멋진 나를, 남들과 다른 모습과 성격, 환경에도 나름

나만의 개성이라고 인정해 주며 스스로를 토닥거리는 작은 행동으로 나를 안아보자.

나만 빼고 바라보는 시선에서 나로부터 세상을 바라보는 시선으로 바꿔보면 사랑할 것들이 참 많다. 바쁘다는 핑계로 무심히 지나치지 말자. 우린 사랑하며 살아갈 때 더욱 빛나는 삶을 살게 되니까.

일상에 대한 예의어린 시선, 너무 뜨겁지도 않고 너무 차갑지도 않은 적당하고 은은한 그녀들의 온도, 그 온도 안에서 내뿜는 찬란한 삶의 이야기를 통해 좀 더 가치롭고 소중한 일상을 담고 살아보길 바란다

인독기 북클럽 리더 쥬리

선민

20년간 두 아이와 함께 좌충우돌 살아왔습니다.
삶의 위기의 순간 책을 통해 새로운 삶을 살아가는 방법을 배우게
되었으며,
책을 읽고 글을 쓰며 과거의 나로부터 해방되었다고 믿습니다.
책을 만나면 저처럼 삶이 달라질 수 있다는 것을 많은 사람들에게
알리며 살고 싶습니다.
앞으로도 수없이 흔들리며 살아가겠지만 읽고 쓰기를 멈추지 않을
것입니다.

현재 인독기 독서습관 코치로 활동하고 있으며, 다수 독서모임에
참여중입니다.
도전하는 삶을 살며 멋진 어른으로 살아가려 노력합니다.

인선민 애(愛) say

꿀 같은 휴일 아침

3주만에 누리는 토요일 아침. 누워서 바라본 커튼.
창밖에서 비추어 들어 오는 밝음이 은은하게 다가와 나를 감싸준다.
벌떡 일어나 앉으면 좋으련만 오늘은 그냥 이렇게 잔뜩 게으름을
피우고 싶은 날이다.
주 5일 근무를 기본으로 하고 있지만 일의 특성상 토요일 특근이
반드시 필요한 직장.
필요에 따라서는 2회이상 근무하기도 한다. 팀의 중간 관리 역할을
책임지고 있기에 파트장과 일정을 맞춰 함께 출근해야 하는 날도
있다. 그런 탓에 3월엔 2주 연속 주말 출근을 했다.

주 6일씩 2주를 근무했고, 업무의 중요도까지 가중되어 너무나 힘든
2주였다.
그래서 3주만에 맞이하는 토요일 아침이 다른 날보다 더욱더 달디 단
꿀처럼 느껴지는 것 같다.
꿀같은 휴일 아침 모든게 감사하다. 조금만 더 누워 있으련다.

주말근무

퇴근길.. 주말근무의 장점을 톡톡히 누리고 집으로 향한다.

지하철역에서 내려 건널목을 건넌다. 건너며 보이는 길은 시선이 활짝 트여 있어서 참 좋다.

평일 퇴근길은 우르르 사람들이 함께 건너지만 토요일 퇴근길은 가는 곳마다 모두 내 차지다.

출근길도 그러하다. 토요일 이른 아침은 출근하는 사람이 거의 없기에 텅텅 비어 있다.

'아 지하철이 이렇게 생긴거였지.' 라며 피식 웃음을 웃을 수 있을 만큼 여유롭다.

그리고 회사에 도착하면 우선 1층 카페도 내 차지다. 평일 대기인수가 보통 3명에서 많으면 8명까지 기다려야 하지만 토요일은 기다리지 않고 바로 받을 수 있다. 그리고 엘리베이터 역시 나 혼자 탄다. 주말 근무이기에 누릴 수 있는 여유 그 자체다.

그래서 신입 직원이 들어와 어느 정도 업무를 익힌 후 주말 근무에 대해 걱정하면 이렇게 말해준다.

"주말 근무를 하면 지하철도, 카페도, 엘리베이터도 모두 누릴 수 있으니 걱정마세요." 라고.

귀한 선물

우리집 베란다 바로 앞 가까이에 나무 한그루가 있다.
손을 뻗으면 손에 잡힐 듯 가까이 있는 나무에 작은 새싹이 자라난
것을 확인한 아침.

베란다 문을 열고 새싹을 바라보았다.

1월에 이사왔을 때에는 메마른 가지들만 찬 바람에 흔들리고
있었는데, 어느덧 하루가 다르게 자라났는지 기특했다.
'애썼어, 나무야' 라며 인사를 하고 나니, 내 메마른 감정에 포근함이
전해졌다. 귀한 에너지, 귀한 선물을 받은 아침이었다.

4월 어느날 창밖은 새싹을 틔우고 자신의 모습을 여실히 보여주는
나무로 가득하다. 겨우내 꼭꼭 응축해 두었던 것들을 풍성하게
내보여주는 나무는 매일매일이 조금씩 다르다. 이런 모습을 사진으로
남기며 사언이 진해주는 설레임과 뭉클함이 나를 풍성하게
만들어준다. 이 또한 너무나도 고마운 일이다.

나무처럼

하늘을 올려다보며 나무들마다 새싹이 움트고 있는 모습을 보며
서둘러 카메라에 담는다.
겨우내 찬 바람을 견뎌내고 곧 다가올 봄날에 가지마다 원래 자신의
모습으로 피어날 일에만 집중을 하고 있는 나무들을 보며 나무처럼
살라는 말이 무엇인지 다시 생각하게 해준다.

나무처럼 살아야 한다.
누가 돌봐주지 않아도 스스로 강인하고
자신을 아낌없이 내어주는 나무처럼

<박노해의 걷는 독서 중에서>

작은 새싹이 쑥쑥 자라고 가지들도 도톰하게 살이 오르고 나면, 한 여름 우리에게 시원한 그늘을 제공해 줄 것이다. 지금은 저렇게 가지마다의 공간이 있어 하늘이 함께 찍히지만 한 여름엔 하늘을 모두 가려 뜨거운 햇빛을 가려 주겠지.
우리는 나무아래 그늘을 너무나도 당연한 듯 누리고 지내겠지. 그렇게 나무는 늘 스스로를 돌보고 우리에게 아낌없이 내어 주니 그 감사함을 잊지 말아야 하겠다.
그리고 나도 나무처럼 스스로를 사랑하며 단단하게 살아 내야 하겠다고, 누군가에게 조금의 도움이라도 줄 수 있는 사람이 되어보겠다고 마음먹는다.

눈부신 햇살

출근길 나를 향해 비추는 햇살을 마주할 때면 마음 가득히
'희망'이라는 단어가 떠오른다.
바삐 걸으며 스치고 지날 수도 있으련만 기어이 나의 눈길의 붙잡아
머물게 하는 햇살은 나에게
미소를 머금게 하고 힘차게 발걸음을 옮기게 한다.

행복을 멀리에서 찾는 것이 아니듯 내 삶을 활기차게 해주는 것들
역시 멀리 있는 것이 아니라고, 마음먹기에 달려있다는 단순한 진리를
말해주는 듯하다. 고개 들어 바라보면 늘 그 자리에 변함없이 살아
숨쉬고 있는 자연을 보며 깨달음을 얻으라고. 그러니 어깨를 펴고
당당하게 새로운 하루를 맞이하라고, 다시 오지 않을 오늘이기에 더욱
열정 가득하게 살아내라고 말이다.

눈길 마주하는 나무와 나뭇잎들 하늘과 구름 그리고 햇살.
자연을 만나기 위해 먼 길 떠나지 않아도 바로 곁에서 늘 나와 함께
호흡하고 있는 자연처럼 한결같은 마음으로 살아가자고 다시한번
다짐하며 희망 가득한 마음으로 씩씩하게 발걸음을 내딛는다.

산수유 꽃

이사한 지 2개월 남짓. 우리 아파트 단지엔 이 꽃나무가 몇 그루 서
있다.

노란색의 자그마한 꽃이 어느날 부터인가 눈길을 사로잡는다.
해마다 구례에서 꽃축제가 있는 산수유 꽃이라고 한다.
그동안 살았던 동네에서는 보지 못한 꽃이라 이제서야 제대로 보고,
알게 되었다.

우리나라 곳곳에서 자라는 낙엽교목인 산수유는 봄이면 노란
꽃망울을 터뜨리고, 가을엔 빨간 열매를 맺는다고 한다. 예로부터
한방 약재로도 많이 쓰였던 열매라고 한다.

주로 차로 우려먹거나 술로 담가 먹는 산수유는 코르니, 모로니
사이드, 로 다닌, 타닌, 사포닌 등의 배당체와 포도주산, 사과산,
주석산 등의 유기산이 함유되어 있고 비타민 A도 들어있다고 한다.
건강에 도움이 되는 꽃이라는 것도 알게 되었고, 내 방 창을 통해
보이는 산수유 꽃 덕분에 봄을 훨씬 가깝게 느낄 수 있었고, 올가을
빨간 열매를 만날 어느 날도 기대하게 되는 시간이었다.

고마워 모래야

도망가는 녀석을 뒤따라 가서 끝내 한 컷을 찍고야 만다.
겁도 많고 새집으로 이사한 후 모든 것이 낯선 모래에게는 잠깐의
장난만 치고 바로 돌아선다. 그러면 멀리서 나의 행동 하나하나를

바라보고 있다.

그저 그렇게 바라봐 주는 것만으로도 고맙다. 언젠가는 내게도 곁을 내주는 날이 있을테니.

그래도 이렇게 사진 한 컷 찍을 수 있게 해주니 그게 어딘가 말이다. '오늘도 고마워 모래야. 너의 삶의 시간들을 우리에게 나눠주며 함께 해주어서 말이야.

기다릴게

아쿠 여전히 잔뜩 긴장하는 너란 녀석을 어쩌냥.
야생에서 태어나 10개월을 살았다. 하지만 사람에게 학대당하고 뒷
다리쪽 슬개골을 다치는 일이 발생했다. 다행스럽게도 캣맘에게
구조되어 수술을 받았다. 회복단계에서 다시 야생으로 되돌려 보낼 수
없는 상황이었다. 돌려보낸다면 절룩거리는 걸음으로 살아남기 어렵기
때문에. 그래서 입양자를 찾는 글이 커뮤니티를 통해 올라왔다.
딸은
동생이

너무나도 좋아했던 고양이를 키우고 싶다는 생각에 고양이 입양

커뮤니티를 둘러보던 중 우연하게 이 녀석의 사정을 알게 되었다며 조심스럽게 나의 의견을 물어왔다.

아이들과 다르게 나는 동물과 함께 사는 것을 선호하지 않았다. 하지만 딸과 아들은 무척 원했던 일이었다. 아들이 종종 반려묘를 키우고 싶다고 말했을 때마다 "네가 독립하게 되면 너만의 공간에서 키워~"라고 웃으며 말했고, 더 이상은 이야기하지 않길 바랐었다.

하지만 딸은 떠난 동생에 대한 그리움을 반려묘를 키우는 것으로 채우고 싶어했다. 예전엔 단칼에 거절했던 나였지만, 이 녀석의 안타까운 사연은 나의 마음을 움직이게 했다. 먼 남쪽에서 서울로 입양을 오는 과정은 쉽지 않았다. 우선 거리가 너무 멀었다. 보통의 경우 입양은 같은 지역에서 시행되는데, 이 경우는 특별한 상황이어 예외로 입양이 결정되었고, 우여곡절 끝에 우리와 가족이 되었다.

어느날 갑자기 전혀 예정에도 없던 녀석이 도대체 어떤 인연으로 우리와 만나게 된 걸까. 그건 바로 고양이를 너무나도 키우고 싶어했던 아들덕분이 아닐까 싶다. 가족이 되었으니 이름을 지어주어야 했다. 녀석은 여름에 태어났다고 했다. 여름 바닷가 파도를 떠올리며 보드라운 '모래'를 떠올리며 '모래'라는 이름을 지어주있다. 이들 이름과 모음배열이 비슷하고, 성격도 조금은 닮은 구석이 있다. 겁이 많고 소극적인 성향이 그렇다. 그래서 더더욱 아들이 우리에게 보내준 선물 같았다.

그렇게 인연을 이어간지 벌써 23개월째. 야생에서 태어나고 자라난 것과 먼 거리를 이동하며 받은 스트레스로 모래는 적응하는데 조금 힘들었다. 그래도 평소에도 동물에 관심이 많고, 동네 길고양이들과도 잘 지내는 딸 덕분에 배우는 것도 많았고, 나와도 그나마 조금 가까워졌다. 다가와 내 종아리를 쓰윽 지나갈 정도로 가까워졌었는데, 이번에 갑자기 이사를 하게 되는 탓에 20개월 가까이 쌓은 관계가 모두 사라져 너무나 아쉬웠다.

새로 이사 온 집에서 내 움직임은 '모래'에게 여전히 경계의 대상이다. 내가 어색한 손길을 건네기 때문에 모래가 더 긴장한다는 딸의 말을 듣고 애써보지만 쉽지 않다. 먼 거리에서 눈길만 마주칠 때는 그래도 나와 눈을 마주치고 깜빡거리며 이야기를 나누는 듯하지만 거리가 조금이라도 가까워지면 바로 경계태세를 갖춘다.

고양이는 긴장하고 경계태세를 갖는 순간 귀가 양쪽으로 펼쳐지며 낮아진다고 한다.
내 맘은 그렇지 않은데 여전히 귀를 낮추는 녀석을 볼 때마다 짠하고 아쉬운 마음이 든다.
내가 아쉬워할 때마다 딸은 말해준다.
"엄마 천천히 기다려주자. 분명히 언젠가는 엄마에게도 '야옹~'거리며 말을 걸고 엄마 침대로 찾아들 날이 있을 거야. 그래도 처음보다는 정말 많이 좋아졌잖아 그치. 그러니까 엄마 걱정하지마."

딸의 말을 듣고 모래를 바라보며 마음속으로 모래에게 말을 건넨다. '그래 모래야 엄마는 기다릴게. 언제까지라도.' 라며 다시 한번 따뜻한 눈길을 보낸다.

이른 아침 달빛

새벽 최하 기온 영하 9도라더니 아직 해가 뜨기 전인 오전 7시
출근길도 코끝이 쨍하게 추웠다.

금요일 저녁 약속으로 서둘러 퇴근하는 바람에 미처 처리하지 못한
일로 오늘 아침은 30분 정도 일찍 서둘러 출근을 했다.

전철역까지는 걸어서 12분쯤, 걷는 걸 좋아하고 하루에 7천보정도
걸으려는 목표가 있으니 걷는 시간 12분은 하루 목표를 채우는데
많은 도움이 된다.

작은 목표 하나씩 이루어가는 재미로 하루하루를 살아낸 지 제법
시간이 흘렀다. 덕분에 낮았던 자존감은 조금씩 높아져 이제는 무릎을
지나 허벅지쯤 올라왔으려나 싶다.

많은 분들이 이야기하듯이 '걷기'는 여러 가지 좋은 점이 참 많다.
걷다 보면 나무도 보고 하늘도 바라보며 계절의 작은 변화들도
몸으로 느낄 수 있다. 그래서 웬만한 이유가 아니면 버스로 갈 수
있는 거리도 그냥 걷고 또 걷는 요즘이다.

하지만 한 낮 걷기도 아닌 이른 아침 추위 속 걷기는 생각만큼
주위를 둘러볼 여유가 없기는 했다.

그런데 주머니에 손을 넣고 웅크리며 걷던 내 얼굴이 순간 환하게
빛났다. 깜깜한 하늘에 너무나도 선명한 초승달이 빛나고 있었던
것이다. 그 선명한 달을 바라본 순간 걷던 걸음도 멈추고 손이 시릴까
걱정했던 마음도 잊은 채 장갑을 벗고 사진을 찍으며 멈춰서 버렸다.
그 시간 그 자리에서 만나게 된 선명한 달님이 어찌나 반갑던지.

순간 내게 말을 걸어오는 것만 같아 웅크린 어깨를 곧게 펴고는
올려다 보았다.

'안녕, 전철역까지는 아직 더 걸어야 하지만 즐거운 마음으로 걸으며
오늘 하루도 잘 보내길 바라요' 라는 속삭임이 들리는 것 같았다.

덕분에 찬 바람에도 전철역까지 남은 거리를 얼마나 가볍게 걸었는지
모른다.

글을 쓰는 지금도 여전히 이른 아침 달빛이 선명하게 떠오른다.

이른 퇴근길

해가 길어지고 있다. 다른 날보다 이른 퇴근이기도 하여 해를 보며
퇴근 하게 되었다.
앞서 지하철 한 대를 탈 수 없었다. 사람이 너무 많아서. 지옥철인걸
알고 있으면서도 늘 퇴근길엔 마음속에 작은 바람이 또아리를 튼다.
오늘은 사람이 좀 덜 했으면 좋겠다고.
하지만 예상대로 바로 내 앞에서 문이 닫히고 지하철이 출발해버렸다.

타지 못하는 순간엔 나도 모르게 짜증이 밀려왔지만, 그 덕분에
이렇게 사진도 찍을 여유가 생겼다. 바쁜 하루, 어서 집으로 가서
쉬고 싶다는 마음에 주변을 둘러볼 마음의 여유가 없었는데, 그런
나에게 사진 한 컷 찍으며 여유를 가져보라는 의미였을까.

문이 닫히지 않을까봐 서로 밀며 꾸역꾸역 올라타는 모습은 흡사
터질듯 꾹꾹 눌러 담은 초보솜씨의 김밥 옆구리 터지는 장면 같았다.
이후 들어온 지하철은 제법 여유있었다. 마치 솜씨 좋게 잘 싼 미끈한
김밥처럼 말이다. 아무래도 배가 고픈 모양이다. 자꾸 김밥이
떠오르는 걸 보니. 그렇다고 김밥을 만들어 먹을 정도는 아니니
분식집을 들러볼까. 하하

활자숲을 거닐며

책을 읽으며 책에서 위로받고, 책을 통해 성장한지 4년이 다
되어간다.
활자들의 숲을 거닐면 쌓여있던 스트레스도 모두 사라지는 것만 같다.
아침 일을 시작하기전에 책을 읽고 시작하면 마음도 정리되고 하루를
조금 더 단단하게 보낼 수 있다는 생각에 방법을 찾아봤다.
새벽미라클은 시도해봤지만 짧은 기간만 반짝 시도하게되어 유지하지
못해 더이상은 시도하지 않게 되었다. 그래서 아침 출근시간에
시도해보았다. 단 10분이라도 서둘러 출발을 하고 회사 1층 카페에서
커피와 함께 책을 읽고 업무를 해보니 도움이 많이 되었다.

책을 보려는 의미도 있지만 조금 이르게 출근하면 지하철에서도 여러모로 좋은 점이 있으니 하지 않을 이유가 없겠다.

아침을 차 한잔과 함께 여유롭게 시작할 수 있을 거라는 기대로 출근길 나의 발걸음은 가볍고, 마음은 행복으로, 여유로움으로 가득 차오른다.

내가 주인인 집.

주인이 없는 집, 아니지. 주인이 있는데 그 주인이 나인 거, 그게
우리집이지.

매달 일정 금액을 주인집에 송금을 하는 집. 약속한 기간동안만
살아야 하는 집. 그런 집에서는 문손잡이가 망가져도, 싱크대에
문제가 생겨도, 주방 환기구가 부서져도 모두 주인집에 전화를 해야
했다. 모든 문제는 소유권한이 있는 주인과 상의를 해야하는 집에서의
삶은 수동적일 수 밖에 없다. 문제를 해결하고 영수증을 사진 찍어
보낸 후, 다음달 월세에서 제외하고 남은 금액을 보내고는 했었다.
주인이 따로 있음을 제대로 각인하는 순간이었다.

헌데 뭐든 결정할 수 있게 되었음에도 같은 결과를 마주하게 되는
일이 생겼다. 남의 집에 살 때 벽에 못 하나 제대로 박지 못하고
살았다. 에잇 못 하나 박는 것도 결정할 수 없다니. 그런 불평을 하며
살았는데 우리집이 생겨보니 여전히 못질을 할 수 없었다.

seonwoo♡

그 이유는 바로 우리집 벽에 스크래치가 나는게 아까웠기 때문이었다.
한 달 가까이 공사를 하고 들어오며 집 구석구석 어느 곳 하나
손길이 닿지 않은 곳이 없었다. 그러니 더욱더 아까워 망치질을 할 수
없었다. 같은 상황인데 다른 마음으로 마주하다니, 사람 마음이
이리도 간사한건가 싶기도 하다. 뭐 그럴 것까지 있겠나 싶지만
어쨋든 여전히 아무 것도 벽에 걸지 못하고 있다.

거실로 쏟아져 들어오는 햇살 덕분에 내 마음은 한결 느긋해진다.
뭐든 다 그럴 수도 있다며 수용하는 마음으로 너그러워지는 나를
발견한다. 긍정은 또 다른 긍정을 끌어당기는 법.
느긋한 시간속에서 또 다른 꿈을 꾸며 그 순간의 햇살을 만끽한다.

따사로운 햇살과 향기로운 꽃

새 집에 이사하고 아직 아무도 초대를 하지 않았다. 시간도 나지
않았을 뿐만 아니라 특별하게 누군가를 초대하기엔 무척 쑥스럽다는
생각이 들어서 였다.
친분을 쌓고 있는 분들의 '집들이 언제 해요?'라는 말을 들을 때마다
언제 해야할 지 고민스럽다.
추운 1,2 월을 지나고 3월 드디어 우리집에 손님이 왔다.
바로 내 생일을 축하해 주겠다는 엄마에게 우리집에서 식사 하시자고
말씀을 드린 것이다.

동생과 함께 엄마가 오신다. 큰딸이 생애 첫 집장만을 한 집으로.
두근두근 긴장되는 시간이다.
'띵동' 벨이 울리고 현관문 앞에 동생과 엄마가 나타나셨다.
한 손에 노란색 후레지아 꽃다발을 들고.
꽃다발을 받아들며, 왠 꽃이냐는 말에 동생이 말하기를 엄마와 함께
우리집으로 걸어오는데 꽃이 너무 이쁘다며 발걸음을 멈추고
하염없이 바라만 보고 계셔서 동생이 얼른 포장해달라고 했다고 한다.
꽃다발을 받아 들며 고맙다고 하니 엄마 한마디 하신다.
"나 집에 갈 때 몇 송이 싸줘. 꽃이 너무 이쁜데 두 송이 까지는
너무 낳시 싫잖아 그치?."
"네 알겠어요. 엄마, 집에 가실 때에 예쁘게 포장해드릴게요."

모든 일에 까다롭고 예민한 엄마를 집에 초대하는 건 사실 용기가
필요한 일이었다.
내 나름대로 깨끗하게 치우고 산다고 해도 예전 집에 다녀가시면 늘
좋지 않은 이야기를 남기고 아쉬움을 토로하시곤 했었다.
그런데 이번에는 다행스럽게도 새집이라 그런지 집 깨끗하고
깔끔해서 너무 좋다는 칭찬을 들었다. 그동안 숱하게 다닌 이사.
엄마에게 다녀가시라고 말하기 불편했던 집들. 어쩌다 다녀가시면 늘
무어라 말하지 않아도 표정이 굳어버리던 엄마때문에 웬만하면
다녀가시라 권하지 않았다. 또한 엄마도 그런 집이 맘에 들지 않았던
기억들 때문인지 이사를 해도 굳이 다녀가시려고 하지 않았다. 그래서
더 불편하고 속상했던 예전 일들이 문득 스친다.

그래도 이젠 얼마나 다행인가.
엄마가 집안 구석구석 돌아보시며 "아이고 잘했다. 좋으네. 참
좋다."를 계속 말씀하실 수 있게 되어서.

다녀가시고 이튿날, 예쁘게 활짝 핀 후레지아를 보니 어제 좋다는
말씀을 하시며 웃으시던 엄마의 얼굴이 떠오른다. 노란색 꽃과 햇살
가득 품은 거실을 바라보며 내미소도 꽃처럼 활짝 피어난다. 감사한
일들이 햇살만큼 가득하니 더욱더 감사하다.

비 내리는 출근길

늘 같은 길을 걸어 출근하지만 단 하루도 같은 모습으로 다가오지
않는다.
계절의 변화를 느끼며 빠른 발걸음을 옮기면서 사진이라도 찍어야
고개를 움직여 여기저기를 둘러보게 된다. 그렇게 만난 순간들은 나를
풍성하게 만들어 준다.

아침 빗물에 묻어오는 바람이 차가워 손이 시렵다.
떠나기 아쉬운 겨울이 찬바람을 통해 존재감을 드러내는 것 같달까.
하지만 우리는 안다. 자연의 순리대로 겨울은 떠나고 봄이 찾아
온다는 것을.

우리의 삶도 계절의 변화와 같지 않을까. 현재 고되고 힘겨운 시간을
보내고 있다면 그 시간은 반드시 지나간다. 그리하여 차가운 겨울
바람 뒤에 맞이하는 봄볕과 포근한 바람이 추위를 잘 건너온 나
자신을 보듬어 안아줄 것이다.
조만간 불어 올 봄바람이 기다려지는 아침이다.

점심시간 짧은 산책

seonwoo♡

22년 6월 즈음에 17년간 하던 직업을 그만두고, 지금의 직업을
선택한 이유는 충분한 나만의 시간을 깆고 싶었기 때문이었다. 예전에
하던 일은 근무시간이 10시간으로 길었다. 거기에 하루종일 서 있는

직업이다 보니 체력적으로도 힘들었고, 무엇보다 더 나이들어서도 계속 할 수 있는 일은 아니라는 판단하에 다른 직업을 찾았다. 그런 이유로 하여 지금의 직업을 선택했고 1년간은 내가 생각한대로 근무 시간을 제외한 아니 근무 사이사이 휴식시간까지도 최대한 활용하는 시간을 보낼 수 있었다. 지치지 않을 만큼만 근무하겠다는 계획은 야무지게 지켜졌다. 딱 일 년이 지날 즈음 나에게 다가온 부탁의 손길이 다가오기 전까지는.

일 년만에 회사는 제법 성장했고, 업무량이 늘어 중간관리자가 필요했다. 신입사원은 계속 뽑아야 하고, 교육을 담당해줄 기존 직원은 많지 않았다. 그런 이유로 도움의 손길을 찾던 상사 중 한 분의 권유가 나를 흔들었다. 인정받는 느낌이 들어 솔직히 기분이 좋았다. 많은 나이임에도 불구하고 젊은 직원들과 어깨를 나란히 할 수 있다는 생각에 괜스레 기분이 좋아지기도 했다. 어쩌면 욕심이었을지도 모를 그 순간의 흔들림이 지금의 나를 만들었는지도 모르겠다. 미래의 나를 위해 시간을 투자하겠다는 마음으로 지치지 않을 만큼만 일하겠다던 내 계획에는 차질이 생기는 결정은 쉽지 않았다. 그래도 꼭 도와주었으면 좋겠다는 부탁에, 아직도 누군가에게 필요한 사람이 될 수 있음에 감사하며, 나름의 조건을 제시하고 일을 시작했다. 처음엔 제시한 조건과 상응한 근무를 할 수 있었다. 너무 늦은 퇴근이나 불필요한 야근은 하지 않았다. 하지만 팀에 신입사원이 배정되면서부터 나에게 그런 시간은 주어지지 않았다.

중간 선임업무를 시작한지 벌써 10개월이 다 되어간다. 신입직원이 들어오고 내가 해야할 일은 예측했던 것보다 많아졌다. 돌아서면 나를 바라보고 있는 신입직원들에게 업무를 알려주고 나면 중간 휴식시간도 없이 하루가 어떻게 지나가는 지도 모르게 사라져버린다. 그러니 근무시간 사이사이 책을 읽었던 시간은 이젠 꿈 같은 일이 되고 말았다.

책을 읽는 시간은 나에게 잠자는 시간 다음으로 아주 중요한 휴식시간이다. 언제부터인가 활자숲을 거닐 때 느끼는 힐링은 어떤 것도 대신해주지 못한다. 그래서 틈만 나면 읽고 또 읽고, 더 많이 읽고 싶어진다. 이런 내가 퇴근 후 도통 책을 읽지 못하니 자꾸만 무기력해지는 것 같았다.

자꾸만 뒷걸음 치듯 무기력해지는 내자신을 그냥 두고 볼 수 없어 조금 이른 출근을 해 20~30분정도 책을 읽어보았다. 혹시나 하는 마음에 시도해 본 잠깐의 아침 독서시간은 사막에서 찾은 오아시스 같았다. 모르면 모를까 알고 나서 더이상 머뭇거릴 이유가 없었다. 그렇게 시작한 출근길 책과의 데이트는 나를 조금씩 앞으로 나아갈 수 있게 해주고 있다.

무기력을 이겨내기 위해 추가로 책읽기 이외 점심식사 후에 잠깐씩 회사 수변을 신책한다.

텁텁한 건물 안 공기를 잠시 벗어나 하늘을 올려다보며 차분한
마음을 가지려 노력한다. 그리고 속으로 되뇌인다. '괜찮아. 곧
좋아질거야. 나는 의지가 있다. 나는 할 수 있다.' 라고.

좋은 사람들

3년 가까이 함께 책을 읽고 생각을 나누는 독서 모임이 있다.
인스타를 기반으로 매일 책읽고 인스타에 독서 내용을 기록하는 바로
'인독기'라는 모임이다.
오늘은 인독기 모임의 회원들을 만나러 가는 길.

작년 10월 지금의 집으로 이사가 결정되었을 때, 우리집과 리더의
집이 가깝다는 것을 알고는 무척 기뻤다. 늘 진취적이고 긍정적인
리더와의 만남은 언제나 좋은 기운을 전해 받기에 가까워졌다는
것만으로도 힘이 되었다.

걸어서 30분 정도의 거리에서의 모임이라는 말에 참석할 의사를
전하며 설레었다. 모임날 아침은 맑았고 바람은 아직 좀 찼지만
오히려 경쾌한 느낌을 전해 주니 발걸음에 힘이 실렸다.
1월 초 이사온 후로 날도 춥고 해서 마땅히 시간을 내기가 어려워
동네를 둘러볼 기회가 마땅치 않았는데 모임 덕분에 집 주변을
살펴볼 기회까지 갖게 되어 더욱 신이 났다.

햇살 받으며 땅에 드리워지는 그림자마저도 설렘과 흥겨움을 더해
주어 사진으로 남기고 싶었다. 모임으로 가는 내내 길에서 만나는
모든 것들이 반갑고 고마웠다.
하늘도 햇살도 모두 걸음걸음마다 함께 해주니 고맙다는 인사를

건네지 않을 수 없었다.

작은 연대에서 전해지는 강한 힘을 느끼기에 충분한 시간을 보내며,
여러 사람의 관심을 통해 사소한 일이라도 의논하다보면 더 좋은
결과를 가져다줄 것이라는 믿음이 가득해지는 시간이었다.

새로운 길

낯선 길을 찾아 걸어 보는 일은 약간의 설렘과 궁금증 그리고
두려움을 동시에 갖게 한다.
익숙하지 않은 길을 걸으며 만나는 풍경은 또 다른 느낌을 전해준다.

퇴근 길 항상 궁금했던 길을 걸어보았다. 보도블럭이 깔려 있는 인도와 공원 그 사잇길에 흙길이 따로 있다는 것을 알고는 있었지만 그동안 해가 짧아 그곳은 어둠이 가득했기에 선뜻 발길을 내딛지 못했었다.

요즘은 제법 해가 길어져 퇴근길에도 해가 남아 있어 궁금했던 그 길로 들어서 보았다. 그늘진 나무들 사이를 걸으며 뭔지 모를 신비함에 주변을 둘러보느라 눈길은 분주했다. 그리고 마주한 시선의 끝은 감탄을 자아내기에 충분했다. 발에 닿는 흙과 밧줄을 엮어놓은 듯 미끄러지지 않도록 만들어진 길은 왠지 신발을 벗고 걸어야만 할 것 같았다. 그리고 풍성한 들꽃들과 우거진 나무들 사이로 올려다 보이는 하늘은 평소 퇴근길 만나던 하늘과는 달라보여 들어서기를 잘했다는 생각을 했다.

우리 삶도 이렇듯 새로운 길에 들어서는 기회가 있을 때, 설렘보다 두려움이 궁금증을 막아서며 머뭇거리게 한다. 하지만 그럼에도 용기를 갖고 첫 발걸음을 내딛으면, 그곳에서 만나며 겪게 되는 시간들은 미쳐 생각지도 못한 경험으로 또렷이 남는다. 몸으로 체득한 것들은 성장할 수 있는 발판이 되어 주기도 한다. 그러니 뭐든 경험해 보는 것이 머뭇거리고 이것저것 따지느라 아무 것도 하지 않는 것보다 낫다는 것을 잊지 말아야겠다.

무례함을 대하는 태도

이른 아침 출근길 지하철 안은 영화의 한 장면과 같다. 의도하지 않은 밀착은 언짢거나 불쾌하다고 느낄 틈도 없다. 그저 어서 내릴 역에 도착하기만을 기도하며 눈을 꾸욱 감는다. 몸은 조여오고 내 날개죽지에 누군가의 팔꿈치가 밀착되어 무게감이 전해져도 뭐라 말도, 표현도 못하고 버틴다.

지하철을 기다리다 고개를 숙였다. 이른 아침 부지런한 발걸음으로 모여든 사람들의 신발에 눈길이 갔다. 이 많은 사람들 중 타인을 배려하지 않아 불편을 겪었던 장면이 떠올랐다.

무례한 아주머니를 만났던 금요일 퇴근길. 출근길보다는 그나마 사람들 사이에 여유가 있어 가끔은 책도 펼쳐들기도 하는데, 그날은 여느 퇴근길보다는 조금 더 붐볐다. 평소 지하철 안에서 나는 거의 문쪽에 서있는다. 몇 정거장 가지 않고 내려야하기에 굳이 고생스럽게 안으로 들어가지 않는다.
그날은 문 앞에 한 사람이 서 있었고 그 바로 뒤가 내 자리였다. 곧 내린다는 마음에 기분이 조금씩 들뜨고 있었다. 나보다 체격이 작은 아주머니가 올라타더니 뒤도 돌아보지 않고 앞사람과 나 사이에 스윽 끼어 들며 자신의 공간을 만들었다. 그 탓에 내가 살짝 뒤로 밀렸다. 내 뒤에도 사람이 서 있었기에 아주머니 공간을 여유있게 마련해줄 수가 없었다. 그러니 나는 주춤거릴 수밖에.

그런데 그다음부터 그 아주머니의 행동이 어이없었다. 뒤를 돌아보며 미안하다고 하는 것도 아니고, 그냥 무턱대고 나를 밀었다. 공공장소에서 백팩을 매는 것도 예절에서 벗어나는 것이라 못마땅했는데, 백팩도 모자라 온몸으로 나를 밀어내는 아주머니의 뒷모습은 너무 무례했다. 전철이 흔들릴 때마다 공간이 비좁은 나와 아주머니 가방이 부딪힐 수 밖에 없었는데, 아주머니는 내가 본인을 밀기라도 한다는 식으로 가방을 털어내며 짜증을 냈다.

아직 도착하려면 두 정거장을 더 가야하는데 그렇게 그냥 서있을 수가 없었다. 즐거운 퇴근 시간을 무례한 아주머니때문에 망치고 싶지 않았다. 그래서 내리려 움직이는데 하필이면 백팩에 내 몸이 걸렸다. 그 순간 아주머니는 힘을 주어 백팩을 확 낚아채 갔고 그 바람에 나는 비틀거리며 내렸다. 짜증이 났지만 서둘러 바로 옆 칸으로 다시 옮겨 탔다. 그냥 그 순간을 벗어나기를 잘했다고 생각했다.

타인의 무례함을 대처하는 방법은 여러가지가 있을 것이다. 예전 같으면 뭐하는 거냐고 따졌을지도 모른다. 하지만 그 순간 내가 선택한 것은 회피였다. 상대의 행동으로 나의 감정이 다치는 것을 원치 않았고, 그렇다고 아무렇지 않게 그 행동을 받아주고 싶지도 않았다. 그래서 그 자리를 피했고, 피하기로 결정한 내 자신에게 잘했다 스스로를 다독였다

공공장소에서는 자주 줄을 선다. 출근길에 특히. 지하철이나 회사

엘리베이터에서. 그럴 때면 앞사람, 앞사람의 앞사람, 또 앞사람의
앞사람. 그들 각각의 등을 가만히 바라보다가 그들의 감정을 느끼며
많은 생각을 하게 되었다. 몸이 닿을까봐 경계를 하는 모습, 바쁜데
줄이 길다며 언짢아하는 모습, 아는 얼굴을 발견하고 환하게 웃는
모습 등등.

각자의 상황이나 감정에 따라 보여지는 감정이지만 뒷사람에게
배려없이 무례한 모습을 보게 될 때면 조용히 다짐해본다.
'이젠 내 뒷모습에도 예의를 갖추고 살아보자. 누군가가 문득 쳐다볼
나의 뒷모습에서 우아함까지는 아니더라도 무례함을 느끼지는 않도록
말이야.' 라고.

호수공원

알고 보니 집에서 20분 정도 걸어가면 멋진 호수 공원이 있었다.
이사온 지 4개월 차. 어디가 어디인지 아직 상세히 모르지만 그래도
일요일이나 휴일이면 제법 둘러본다고 둘러봤는데 여기는 아직
가보지 못했다. 딸이 알려준 호수공원에 언제나 가볼까 싶었는데 이번
일요일에 가볼 기회가 생겼다.

이상고온 현상으로 날이 덥다는 일기예보가 있었지만 호수공원을
함께 가자는 딸의 말에 신이 났다. 딸 사진으로만 본 호수공원을 향해
걸어가는데 집을 출발한 지 몇 분도 되지 않아 햇살의 뜨끈함이
등짝으로 느껴졌다. 기온을 보니 27도라니 당연히 뜨거울 수밖에.
이른 더위를 느끼며 걷다보니 어느새 호수공원에 도착했다.
생각보다 뜨거웠고, 생각보다 많은 인파로 놀라웠다. 주변이 모두
아파트 단지로 특별하게 멀리 나가지 않아도 집 주변에 이런 곳이
있으니 몰려들 수 밖에 없겠다 싶었다.
공원 입구에 있는 작은 분수대에서는 어린아이들이 시끌벅적 신나게
물놀이를 하고 있었다.

풀밭에는 반려새를 데리고 나온 분이 있어 발길을 멈추었다. 너무
신기해서 사진도 찍고 말도 걸어보았다. 앵무새가 '안녕' 이라고
인사를 해주었다. 지나던 어른아이 할 것 없이 모두들 놀랐다.
앵무새가 직접 말하는 것을 실제로 보기는 그때가 처음이었던 것
같다. 아직도 경험해보지 못한 일이 도대체 얼마나 많이 남아 있을까
하는 생각을 그 순간 잠깐 하기도 했다.

하루에 최소 5천보를 걷는 것이 매일매일 지키기로 하는 작은 목표가
있다. 그러니 공원을 둘러보며 한걸음한걸음 모아가는 시간은 재미도
있었고, 목표달성에도 도움이 되어 많은 부분에서 즐거웠다. 걸으며
마주한 자연은 풍성해진 나뭇가지들과 흐드러지게 핀 꽃들로 하여금
그동안 일에 지친 나를 달래주어 편안함에 이를 수 있게 해주었다.

일요일 오후 시간에 호수공원을 둘러보며 걷고 또 걷고 들어오니
만보가 넘었다. 개운하게 샤워를 하고 누우니 스르르 눈이
감겨버렸다. 오랜만에 꿀잠이었다.

공원이 가까이에 있어 준 덕분에 몸도 마음도 평안함에 이르러 또
다시 한 주를 살아갈 힘을 얻었으니 이 또한 감사하지 아니한가.

독서는 힐링 그 자체

책은 이제 내게서 뗄래야 뗄 수 없는 존재다. 어느 장소이건, 어느 날이건 상관없이 늘함께 한다.

책 종류도 소설은 소설대로, 자기계발서는 자기계발서대로 또한
철학책이나 과학관련 책 그리고 사회과학 분야 역시도 기회가 된다면
모두 읽어보려고 한다.

이렇게 되기까지 거의 4년이 다 되어 간다. 겁없이 시작했고,
살기위한 선택이었지만 그 결과 지금의 나는 햇살이 드는 우리집에서
즐겁게 책을 보며 살고 있다. 아주 오래전 '순간의 선택이 십년을
좌우한다'라는 광고가 있었다. 그 광고는 전자제품 광고였던 것으로
기억한다. 선택이라는 단어를 삶에 적용해야 하는 것을 그때는 전혀
알지 못했다. 그저 전자제품 또는 집안 살림에나 해당된다고 생각했던
그 시절의 나를 떠올리면 부끄럽기 그지없다.

허나 이젠 안다. 삶에서 선택할 수 있는 많은 것들을 지나쳐 온 지금,
무지했을 때의 선택을 통해 만났던 순간들은 내게 아픔을 주었지만,
그것을 깨달은 이후 선택했던 시간들은 지금의 나를 만들 수 있게
해주었다는 것을. 그래서 미래의 나는 현재의 나의 무수한 선택의
총합이 될 것이라는 것도.

책을 만나기 전에, 아니 아직도 스스로의 대한 믿음이 조금
부족하지만, 끝없는 독서를 통해 자신을 사랑하고, 내 자신에 대한
믿음으로 채워 갈 것이다. 그리하여 더없이 멋진 어른이 되기 위해
오늘도 나는 책을 펼친다.

조연희

책 속으로의 여행을 즐기며, 책을 읽음으로 삶과 자신을 단단하게 키우는 여정을 찾아 배우고 실천하는 워킹맘이다. 회사와 육아를 병행하면서, 힘듦에도 독서 여행을 통해 독서가 어렵거나 힘든 게 아닌, 삶의 길잡이가 되어주고, 지혜를 알려주기도 하는 독서가 주는 여행의 즐거움, 재미를 같이 나누고 싶다.

조연희 애(愛)say

글씨안으로 여행하다.

이른 새벽에는 차가움이 느껴진다. 잠이 아직 덜 깬 나에게 주는
따뜻한 물과 함께 언제라도 캘리를 쓸 수 있는 붓펜과 종이를
준비한다.
따뜻한 물 한모금 마시면서 잠 속에 머물러있는 나의 정신들을
깨우기 시작하면 나의 온 몸이 차분해지는 것을 느끼게 한다.

언제나 바쁜 아침을 허둥지둥 보내는 내 자신의 애쓰는 모습을 보고,
안타깝고, 너무 짠해 보이기도 한다. 나를 달래고 위안을 주기 위해
새벽이라는 조용한 시간을 찾았다.
'매일 아침은 선물이에요.' 라는 말처럼 하루의 시작인 새벽은 나에게
정말 소중한 선물이다.
나의 내면의 아이에게 안부를 묻기도 하고, 달래주면서 시작한다.
심호흡을 후~~를 몇 번 반복하고, 어지러운 정신들과 감정들을
흘려보내며, 몰입으로 붓펜과 종이를 벗삼아 글씨 속으로 여행을
천천히 시작한다.

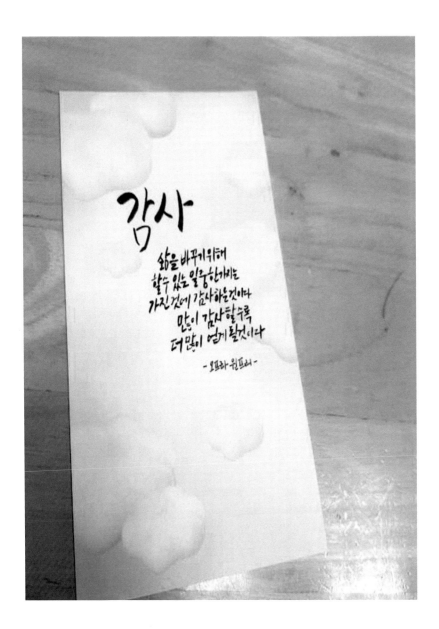

기억하다.

병원에서 검사 받기위해 기다림과 긴장감으로 하루를 보냈다. '괜찮다,
괜찮다' 라는 말을 반복적으로 말하는 내 자신을 볼 수 있었다.익숙치
않은 병원들의 모습으로 더욱 긴장을 했다.
무사히 진료를 마치고, 걸어오면서 따스한 햇살을 보며 다시 한번
감사함을 느끼게 되었다.
당연한 일상들의 감사함을 잃지않고, 기억하며 다시 한번 새겨본다.

삶을 바꾸기 위해
할 수 있는 일 중에 한가지는
가진 것에 감사하는 것이다.
많이 감사할수록
더 많이 얻게 될 것이다.

-오프라윈프리-

조개에
마음을담다

- 조마담 칼국수 -

69

느껴진다.

아이와 함께 데이트하기 위해 버스를 투어를 했다. 두 번을
환승하면서 아이는 마냥 신이 난다고 한다. 버스의 신세계를 맘껏
즐기는 모습에 나도 기분이 좋다. 예전에는 버스 안의 특유한
냄새때문에 타기 싫었는데, 오늘은 나도 아이처럼 즐기고 있다.
레트로 감성의 문구점도 가고, 길가에서 씨앗호떡도 사 먹고 시장에서
각종 육해군을 다 볼 수 있었다.
아이도 어른인 나도 그냥 신나서 시간 가는 줄도 모른 채 구경하였다.
어느새 배꼽시계가 울리고 있었다. ㅎㅎㅎ
오랫 만에 칼국수 맛집에 들려서 사장님 마음이 듬뿍 담긴 조개
칼국수를 먹었다. 역시 맛있다.
"돈 많이 버세요 사장님"
"제 마음은 덕분에 든든하게 담아갑니다."
마음도 배도 든든하면서, 행복이 느껴진다.

다짐1.

봄이지만 아직은 바람의 차가운이 느껴지는 아침이다.
이른 새벽 나는 다짐을 해본다. 오늘도 주변에 휘둘리지 않고, 내가
가고자 하는 길을 위해 단단한 마음근육을 가지려 한다.

마음가짐만이라도. 나의 일상은 잠시라도 빈틈이 보이기라도 하면

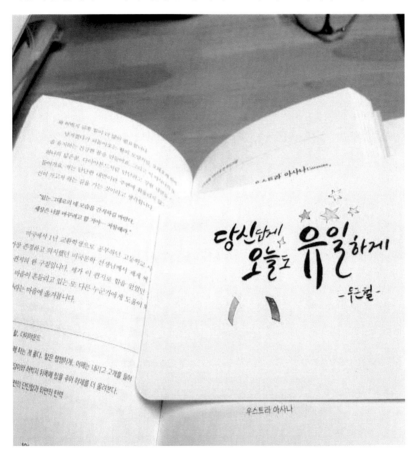

다른 곳으로 정신이 가버린다. 하루를 계획처럼 살기는 힘들지만 나의
내면에 '나답게' 말하면 그날 하루는 행동으로 보이기도 한다. 어느새
달라진 나를 만날 수 있을거라는 믿음을 가지게 된다. 있는 그대로
나의 모습이 유일한 내가 되어본다. 나는 지금도 별처럼 충분히
빛나고 있다는 것을 잊지말자.

'당신답게 오늘도 유일하게'
'있는 그대로의 네 모습을 간직하길 바란다.'
'세상은 너를 바꾸려 할거야….저항해라.'

나를 만나다.

나를 글로 표현한다는 것은 어색하고, 꼭 해야만 하는걸까? 라는
생각이 들기도 한다.
흰종이 위에 무언가를 쓰윽 쓰윽~ 쓰다보면 머릿속 한 부분이
정리가 되는 듯한 기분이 든다.
그냥 나의 일상에서 느꼈던 감정들을 하나 둘 기록만 했을 뿐인데..,
내 안의 아이와 소통을 하고 있는 듯 하다. 종이와 펜이 친구되어
나를 표현해주고 있다. 어디를 가더라도 종이와 펜만 있다면 무작정
쓰게 된다. 누구에게 보여주기 위한게 아니라, 하루동안 느꼈던
생각과 감정들, 주변에서 일어나고 있는 일상들을 기록하면서 시간이
흐른 후 지금의 나에게 얼마나 소중했는지 알 수 있기 때문이다.
소중한 일상들의 기록들이 책 속의 문장들의 언어들과 함께
풀어내주는 신기한 힘이 있다는 것을 알게 된다.

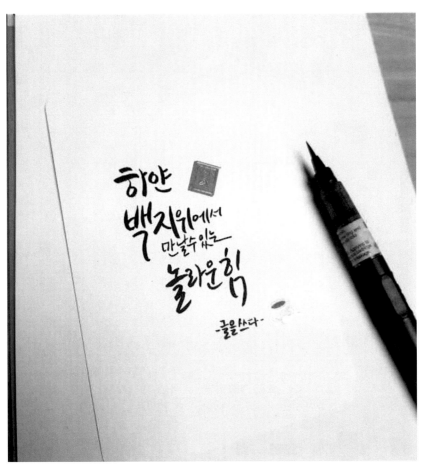

하얀 종이 위에서 나를 만나고 있는 중이다.

엄마는 거울별 내인생의 주인공이 나이듯 아이의 인생의 주인공은 우리아이다

주인공은 누구.

자아의 정체성을 알아가는 사춘기 손님과 지내다 보니 예전의 감정과
생각으로 머물러있을 수 없다는 것을 알게 되었다. 아이가 몸과
마음이 자라듯이 엄마인 나도 생각과 행동이 자라야만
 손님과 잘 지낼 수 있다.
맞다. 엄마는 거둘 뿐이다. 하지만, 자꾸 관심에서 간섭으로 아이를
대하고 있다.
내가 살아온 삶을 아이를 위해서라는 이유로 강요아닌 강요를 하고
있을 수도 있다.
엄마인 나도 주인공.
아이도 아이 삶의 주인공.
오늘은 유독 이 말이 나를 잠시 내려놓게 한다.

이쁘다.

퇴근하는 길에 긴 겨울 잘 버티고 가지마다 예쁜 꽃망울이 피어나고 있는 것을 보게 되었다.
제일 먼저 봄을 느낄 수 있어 사진에 담아보았다. 어떻게 하면 이쁘게 담아볼까? 버튼을 여러 차례 버튼을 누른 후에야 이 사진이 마음에 들었다. 이 시간이 너무 좋다. 주변의 일상들이 변해가고 있는 모습들을 느낄 수 있다는 것이 너무 행복하다.

'자세히 보아야 예쁘다'라는 글처럼 당연함에 지나치지 않고, 관심을 가져본다.
항상 그 자리에 머물러 자신만의 뽐냄을 기다리다 드디어 맘껏 자랑을 하듯 여기저기서
팝콘처럼 꽃망울을 터뜨린다.

'잘 이겨내고, 잘 견디어 줘서 고마워!'
'너는 봄날의 이쁜 햇살같아'
'언제나 같은 일상이지만 자세히 보면 새로운 일은 언제나 일어나고 있어'
'이쁘다. 언제나 너는'

꽃놀이하자.

우연히 책꽂이를 보다가 책 제목의 글씨체가 이뻐보여 나도 모르게
꺼내서 읽어보았다.

시골에서 진달래를 먹었던 기억이 새록새록 떠오르면서 추억 속에
잠시 빠져들었다.

산에 피어있는 진달래의 잎을 하나씩 먹기도 하고, 한꺼번에 꽃을
모아서 한입에 먹기도 했다. 지금은 먹을 수 없지만.

친구들과 삼삼오오 모여 노래를 부르면서 봄이 되면 산에 피었던
진달래꽃을

한 움큼 따서 먹었던 기억.

이젠 차가운 바람이 아닌 봄바람이 살랑살랑 부는 봄이 왔다.

동화책을 읽는 동안, 잠시나마 어릴 적에 놀던 그때로 여행을
다녀왔다. 봄바람을 느끼면서 봄의 기운을 즐길 수 있는 이
여유로움의 감사함을 갖게 된다.

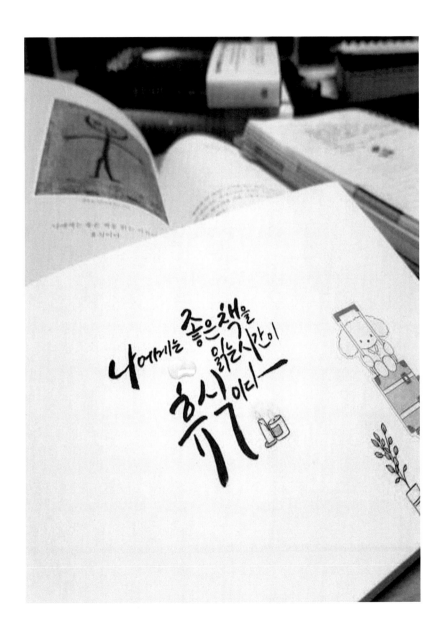

나에게 휴식은.

나에게 쉼과 같은 휴식은 세상과의 잡음을 잠시 잊게 해주는 것이다.
잠깐이라도 머릿속을 비우고, 아무 생각 없이 무언가에 몰입할 수
있는 그 시간. 그 공간.
좋아하고, 행동을 하고 있는 동안 시간 가는 줄 모를 정도 나를 기분
좋게 하는 것을 하고 있을 때 쉬고 있다는 것을 느낀다.
언제 어디서나 장소에 구애받지 않고 책 속으로 여행을 떠나는 것이
나에게는 휴식이다.
책을 읽는 동안은 세상의 이야기들을 잊은 채 책 속의 글들을
만나면서 또 다른 나를 만나는 시간.
나의 머릿속에 맴돌고 있는 온갖 생각과 걱정들을 잠시 잊을 수 있는
시간.
휴식은 아무 때나 할 수 있어야 한다.
지친 일상 속에서 틈틈히 나만을 위해 쉬어가는 시간을 가진다.
기분이 좋아지는 그런 휴식.

다짐2.

항상 걸어가는 길. 걸어오는 길.
회사를 출근하면서 자주 이곳을 걸어간다. 복잡한 머릿속을
정리하거나 때론 아무생각없이 앞만 보고 걷거나, 뛰어가기도 하는
길이다.
출근길에 힘들거나, 지치는 기분이면 회사에서의 하루는 엉망진창이
된다.
생각을 바꾸기로 했다.
'오늘도 즐기자! 배우자!' 라고 주문을 외우며 이 길로 걸어간다.
좋은 것만 배우는 일상은 즐거운 하루가 된다.
아이들처럼 발걸음이 사뿐사뿐 가벼우면서, 나의 두 발도 다 같이
즐거워지는 듯하다.

계절에 따라 변해가는 이 길의 주변 모습들이 당연함이 아닌
행복이라는 것을 느낄 수 있는 여유가 생긴다.

나는 나로
활짝 피어날거야—

진정한 모습으로.

살아가다 보면 가끔은 나의 삶에 의문이 든다.

지금 잘 살고 있는 걸까?

지금 잘 하고 있는 걸까?

이 시간들을 잘 보내고 있는가?

소중한 것을 놓치고 있지 않은가?

이 질문들은 과거에도 하고, 지금도 하고 계속 진행 중인 것을 알게 된다.

다시 생각해보 면 같은 질문이라도 주변상황은 변화하고 있다. 나다운 인생을 살기 위해 최선을 다하고 있으니 걱정하지 말자.

지금도 잘하고 있으니까.

잊지말자.

비가 내리는 날 문득, 지난 온 나의 흔적들이 머릿속에서 하나 둘
떠오른다.
흔적이 될 수도 있고, 경험이라고 될 수도 있다. 하루하루 바쁘게
살기에 급했던 시절. 그게 맞는 삶이라고 생각했다.
매일 아침마다 '하루도 무사히 보낼 수 있기를' 주문을 외우기도
하고, 그날 밤에 잠들면서

'무사히 하루를 보낼 수 있어 감사합니다.'라고 생각하며 잠이 든다.
지나온 시간들이 힘들고, 괴로울지라도 긍정적으로 생각하고, 행동을
했기에 빛나는 지금.
다가올 내일 또는 미래에도 빛날 수 있는 흔적, 경험이 되지 않을까
생각한다.
잊지말자.

오늘의 나는 지나온 경험들이 있기에 있다는
것을.

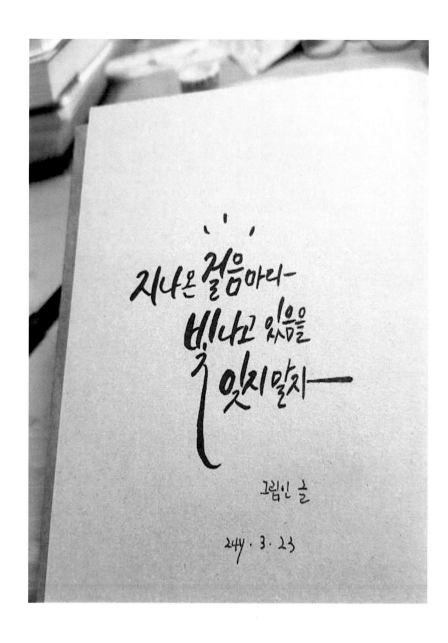

지나온 걸음마다—
빛나고 있음을
잇지말자—

그럼이 글

24년 · 3 · 23

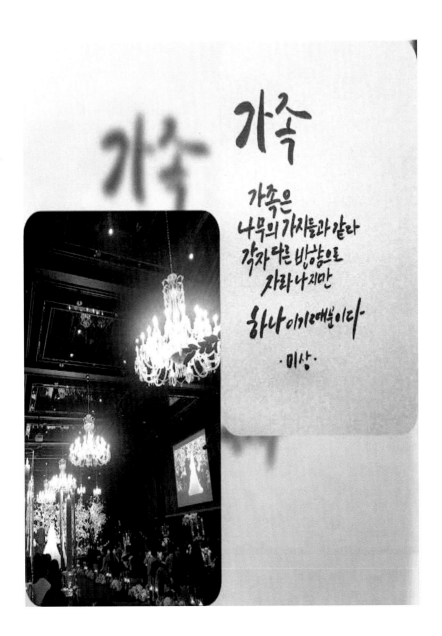

가족

가족은
나무의 가지들과 같다
각자 다른 방향으로
자라나지만

하나이기때문이다

· 미상 ·

나무처럼.

축복 속에 가족이 탄생했다.

지혜롭게 살기를 바라는 부모님의 마음을 담아 소중한 글을 읽으시는 신랑 아버님이 주례사를 하고, 행복하게 잘 살아주길 바라는 마음을 담아 딸 앞에서 축가로 빌어주는 신부 아버님의 모습을 보면서 나도 모르게 눈물이 난다.

작은 나무가 자라면서 가지를 뻗고 잎사귀들이 무성하게 자라기까지 각자의 역할에서 묵묵히 견디고 서로에 대한 배려와 존중이 있기에 외부의 어떠한 환경에도 굴하지 않고 무성한 나무로 자라게 된다.

두 사람이 만나 가족을 이루고, 하나가 되는 뿌리 깊은 나무처럼 살아가기를 마음속으로 빌어준다.

봄이 오면 나무들도 새로운 새싹이 피어나 봄, 여름, 가을, 겨울을 잘 보내고, 다시 봄이 오면 새롭게 시작하듯 가족으로 만나 인연이 된 우리도 나무처럼 잘 살기를.

너라는 작은 꽃.

한 번도 경험해보지 못한 길은 언제나 두렵기도 하고 긴장감을
주기도 해.
왜냐고 처음이니까.
그 느낌은 아이나 다 큰 어른이나 같아. 단지 어른들은 자신이 느끼고
있는 것을 감추기도 하고, 담담한 척하기도 해.
누구나 가보지 않은 길은 가려하지 않아. 어른이 될수록 더 싫어하지.
변하는 삶을 살지 않는 이유가 될 수도 있어.
처음은 힘들고 자꾸 포기하려 할거야. 하지만 그 힘든 고통을
이겨내면 나도 모르게 자신감이 생겨 신기하게도 말이야.
어때! 왠지 할 수 있을 것 같지 않아?
지금은 작은 꽃이지만 언젠가는 하늘의 별처럼 활짝 피어있는 너를
볼 수 있을 거야.

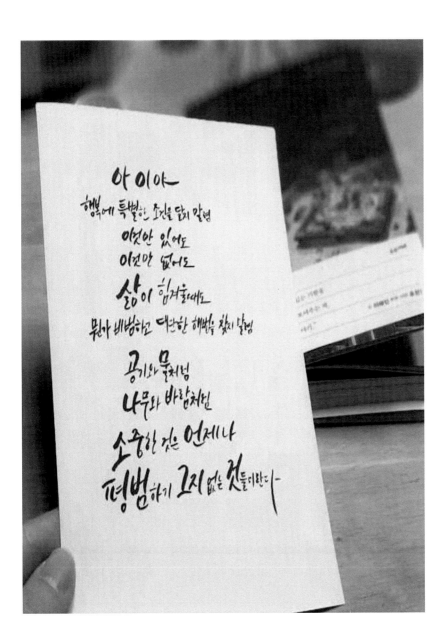

아이야
행복에 특별한 조건을 달지 말렴
이것만 있어도
이것만 없어도
삶이 힘겨울때도
뭐가 비범하고 대단한 행복을 찾지 말렴

공기와 물처럼
나무와 바람처럼
소중한 것은 언제나
평범하기 그지없는 것들이란다-

93

소중한 일상.

매일 아침 그 시간에 일어나고, 그 시간에 밥을 먹고, 출근을 하고,
저녁이 되면 다시 집으로 돌아와 밥을 먹고, 해야 할 일을 하는
반복되는 평범한 일상이지만 이 모습들이 소중하다는 것을 알게 된다.
겉으로 보기에는 정해진 규칙에 따라 살아가고 있다는 것이
무기력하거나 삶의 즐거움 없이 주어진 하루를 겨우 버티고
살아간다고 생각한다.
타인보다 더 나은 삶을 살고 싶은 본능이 생기며, 타인이 가진 것에
대한 부러움으로 나의 모습을 보기 때문이다.
지금 나의 현실이 비록 힘들지라도 이 평범한 일상들이 주는 소소한
즐거움과 순간순간 느껴지는 기쁨이 있다. 내 곁에 없는 것을 바라지
말고, 있는 것의 소중함을 잊지 않기를 바래본다.

잘 이겨낸 오늘.

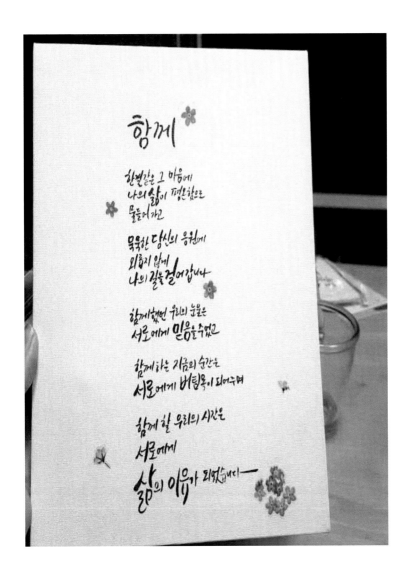

지인이 회사를 입사한 지 30년이 되어 이 글을 써서 선물해주었다.
한 회사에 있기까지는 가족들과 수많은 인연들이 함께 해주었기에
가능했으리라 생각한다.
기나긴 시간을 보내면서 많은 일들을 겪으며 잘 이겨내고, 버티어 온
오늘.

축하하고 박수를 보내준다.
좋은 날에 온 마음으로 축하해줄 수 있는 오늘이 행복하다.
혼자가 아닌 함께 했기에 잘 이겨내고 버틸 수 있었다고 말한다.
그 삶이 힘들지언정.
삶의 이유는 함께 있기 때문에 살아간다.

나는 너를 사랑한다
스치는 바람아저
너를 아프게 할까 걱정된다
가장 좋은 마음만
너에게 주고 싶다

너에게 주고 싶다.

나는 '너' 를 사랑한다.
스치는 '바람'마저
너를 아프게 할까 걱정된다.
가장 좋은'마음'만
너에게 주고 싶다.

나는'너' 를 믿는다.
어떠한 어려움에도 '잘 이겨낼 거라는 것을'
가장 좋은 '생각' 만 너에게 주고 싶다.

다짐3

자신이 행한 모든 것들이 그에 상응하는 결과물로 되돌아 오게 되는

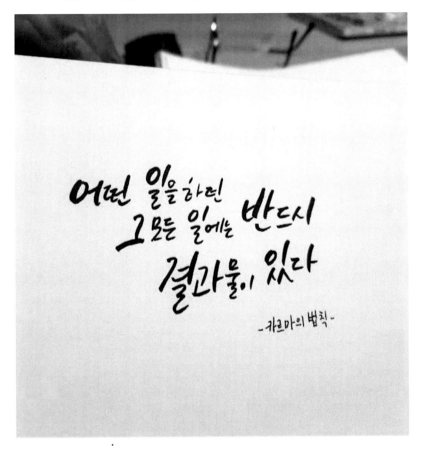

우주의 운영 시스템을 '카르마(Karma)' 한자로는 '업보' 라고 한다.
'뿌린대로 거둔다.' 옛 속담도 같은 말인가?
좋은 말만 하자! 항상 웃자! 부정적으로 생각하지 말자! 좋은것만

보자!

다짐을 하면서 하루를 시작하지만, 실천하는 것이 어렵다. 나도
모르게 행동으로 나오고 다시 현실로 들어가 아무 일 없다는 듯이
반대의 행동으로 하고 있다.

반복되는 다짐과 후회가 된다.

카르마의 법칙을 생각하며 좋은 말만 한다. 항상 웃는다. 부정적으로
생각하지 않는다.좋은것만 본다.라고 현재형으로 바꾸어 다짐한다.

아름다운 마음

항상 함께해주고 옆에 있어 든든한 등대지기에게 앞으로 살아갈
날들을 '예쁘게' 보내고 싶은
마음으로 시를 적어본다.

생일이면 선물을 사주고 그랬는데, 이젠 서로 옆에 있는것 만으로도
선물이라는 생각을 한다.

살아가면서 가슴속에 따뜻한 말들을 간직하고 말로 표현해주려 한다.

인연이 되어 각자의 다른 공간에서 있다 만난 우리 그리고 아이들.

힘들고 속상한 일이 생기더라도 '예쁜 말, 예쁜 생각' 을 가지려고
한다.

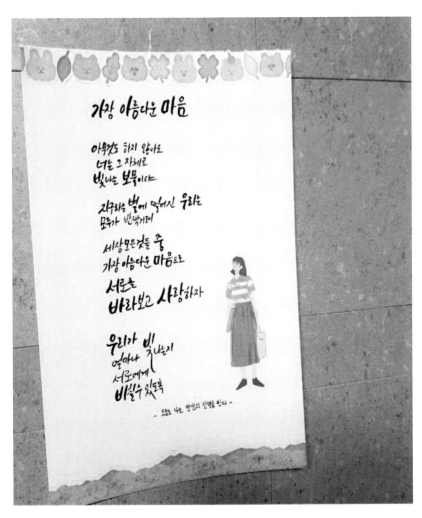

'좋은 말 언제 다 하고 가누.' 말처럼 살아가면서 아름다운 마음을 가지면 어떤 어려움도 이겨낼 수 있다.

'가장 아름다운 마음으로 서로를 바라보고, 사랑하자.'

안부를 묻다

가로등이 켜질 정도 어둠이 밀려오는 이 시간.

하루를 무사히 보내고 육아출근을 한다. 일을 마치고 또 생각을 한다.

아직 해야 할 일이 남아 있기에 머릿속에서 생각이 멈추지 않는다.

항상 비운다고 생각했는데, 그게 아닌가 보다.

홀로 서 있는 가로등 불빛을 바라보면서 잠시나마 생각이 멈춘 채

가만히 있다.

"지금 나는 괜찮은 건가?" 스스로에게 안부를 묻는다.

몇 초도 안되는 그 시간에 잠시 생각을 비우고 있는 나를 바라본다.

나에게 안부를 물은 후, 다시 정해진 그곳으로 걸어간다. 비워진

머릿속이 다시 채워진다.

내일도 나에게 안부를 물어주려 한다.

"오늘 하루 어땠어?"

결과는 빛났고
과정은
아름다웠다

다짐4

저녁이 되어 아이가 "엄마 저기 봐, 노을이 너무 예뻐."라고 말하면서
사진을 여러 장 찍었다.
나에게 붉은 해가 넘어가는 사진들을 보내주면서 아이의 어깨가
으쓱해지는 것을 볼 수 있었다. "고마워."라고 웃으며 대답해주었다.
앙리 마티스 화가의 '꽃을 보고자 하는 사람에게는 어디에나 꽃이
피어있다.' 말처럼 자신이 얻고자 하는 일들은 이미 자신 안에 있다.
단지 인내와 관찰이 필요할 뿐이다.
넘어가는 저 햇빛은 수많은 곳을 비추고, 다시 다른 곳으로 향한다.
하루 종일 밝게 비추며 이글거리던 햇빛은 그렇게 제 역할을 다하고
마지막까지 주변에 이쁜 노을의 모습까지 보여주며 떠난다. 자신의
삶에 충실했기에 가능하다.

인연1

살아가면서 많은 인연들을 만나고 헤어진다.

기억하고 싶지 않은 인연, 생각만 해도 눈물이 나는 인연, 기억에서
지우고 싶지 않은 인연.
나를 둘러싼 사람들을 만나고 헤어지면서, 인생을 완성해가고 있다.

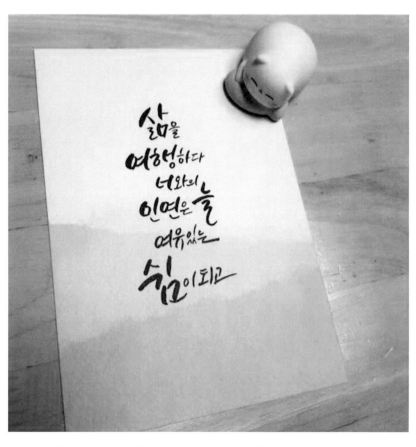

삶을 살아가면서 서로의 쉼이 되어 주는 인연이 되었으면 한다.
서로 잠시 스쳐가는 인연이라도 소중하다면, 좋은 점만 바라봐줬으면
한다.

나의 인연들은 언제나 소중하고 아낄 줄 아는 마음으로 시로의
격려를 맘껏 해주는 것이 삶의 쉼을 가질 거라고 생각한다.

꿈

'꿈'이란 단어는 다양하게 표현된다. 사람마다 꿈이 각자 다르듯이
말이다.

가슴 한 켠에 묻어두었다 나이가 들어가 펼치는 사람들. 일찍감치

꿈을 위해 최선을 다하는 사람들. '꿈'을 가지는 것조차 사치라고
생각하는 사람들. 꿈조차 모르고 사는 사람들처럼 꿈에 대한 자세는
각자 느끼고 생각하는 대로 다르다.

나에게 꿈이란 무엇일까? 꿈을 위해 지금 하고 있는 것은 무엇일까?
스스로에게 질문해 본다.

'꿈'이라는 단어는 '미래에 있는거야'라고 생각하면서 현실을 먼저
살아가고 있기때문에 막연한 희망으로 생각하게 된다.

어릴적부터 갖고 있다가 어느 순간 잊어버리고, 지금의 삶을 열심히
살고 있다.

시간이 흘러 삶이 완성되는 어느 날 가슴속 한 켠에 묻어두었던
'꿈'이 생각난다.

하고 싶었던 일, 해야 할 일, 나를 인정해주는 일, 나의 존재감의
이유들이 꿈으로 이루어 진다.

'꿈'이라는 단어를 쓰면서 다시 한번 나의 삶들은 어떤 모습이었는지
머릿속으로 그려 본다.

미래의 '꿈'을 완성하기 위해 언제부터인지 모를 나의 삶속에서
하나씩 하나씩 점들을 모으고 있을 수 있다.

꿈이라는 정류장에 도착하기 위한 기나긴 삶의 정거장을 지나가고
있다.

나의 가슴 한켠에 묻어두었던 정류장이라는 그곳에 가기 위해서
말이다.

나는 화가이다.

나의 마음속에는 하얀 도화지가 있다. 하얀 도화지 안에는 그때마다 다른 그림을 그리는 듯하다. 파란 하늘처럼 기분이 좋을 때도 있고, 미세먼지가 뿌옇게 쌓여 앞을 못 볼 정도로 답답한 때도 있고, 여름이면 장맛비가 시원하게 내려 마음속 깊은 곳까지 시원하게 씻겨 나가기도 하고, 예쁜 꽃들을 여기저기 피어있는 모습을 보며 감사함을 느끼기도 하고, 추운 겨울처럼 마음이 얼기도 한다.
나의 마음의 하얀 도화지는 그날그날 다른 그림이 그려지고 있다.
일상에 일어나는 모든 일들이 나에게는 행복을 준다는 것을 잊지 않으려 한다.
나로 살아가기 위해 나의 삶을 긍정의 습관으로 그려가는 것을 선택한다.

<오늘 행복을 쓰다>

무슨 생각하니?

길을 가다가 따스한 봄 햇빛을 온몸으로 듬뿍 받으면서 쉬고 있는
냥이들을 보았다.

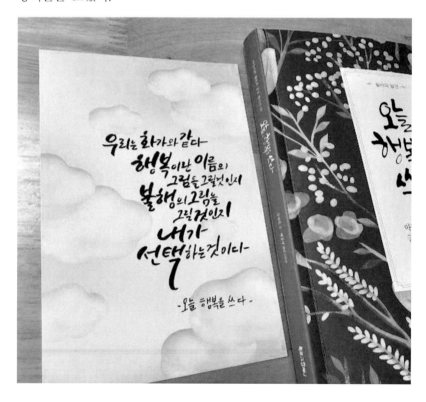

각자 다른 공간에서 먹고 놀다가, 쉬기위해 어슬렁 어슬렁 이곳으로
모였나보다. 자기들만의 휴식을 취할 수 있는 공간인 것처럼 말이다.
햇빛도 따스하고 살랑살랑부는 바람에 맘껏 쉬는 듯하다.

계획했던 일을 하나라도 놓칠까봐, 해내야 한다는 생각으로 머릿속에
계획들로 가득 찬 그런 날이 있다. 몸과 마음이 바쁘게 하루를
보내기도 한다. 지친 하루를 보낼 때마다 어디론가 떠나고 싶기도
하고, 아무도 모르는 공간에 숨어서 쉬었으면 하는 생각도
하게

된다.
반복되는 일상속에서 나만의 쉴 수 있는 공간에서 잠시 머물며 생각
비우기도 해본다.

일상이 주는 미소.

따스하면서 향기로운 커피향이 나의 콧끝으로 밀려들어올 때 입가에
미소가 지어진다.
가끔은 나를 웃게 해주는 행동들이 있다.
아침에 느지막히 창가로 비추는 햇살을 보며 이불 속안에서 뒹굴고
있거나, 길가에 겨울을 잘 보내고 연두빛 잎사귀가 돋아나는 새싹을
발견했을 때, 혼자서 좋아하는 카페에 가서 쓰시만 그 맛을 잊을 수
없는 아메리카노를 마시며 글을 쓰거나 책을 읽을 수 있는 그

시간들은 나를 웃게 해준다.

요즘은 웃는 일이 나에게 많이 생기고 있다

나의 행동들이 웃게 만들어 주는 지도 모른다. 하나 둘씩 나만의
방식으로 살아가기 때문일 수도 있다.

글을 쓰면서 아무렇지도 않은 일상들에게 관심을 가지면서 어느 순간
관찰을 하게 된다.

일상적으로 카페에 와서도 커피마시며 수다를 떨고 가기만 했다면
지금은 카페 안의 인테리어도 보게 되고, 사람들의 표정도 보며,
순간순간의 느끼는 감정들을 알아가고 있다.

앞만 보고 가는 삶을 살아가는 모습이 익숙해져 당연함으로 살아가고
있는 현실.

웃는 일은 생겨야만 한다고 웃는 게 아니다. 내가 어떻게 보느냐에
따라 슬프기도 하고, 웃기도 하고, 화나기도 하고, 속상하기도 한다.
그냥 아무런 이유 없이 일상에서 느끼고 생각하면서 웃는 일이
많아졌으면 바램이다.

커피를 마시면서 입가에 번지는 미소처럼.

.

따뜻한 말 한마디.

무인카페의 한쪽 벽면에 홀짝 웃는 이 그림을 보면 따스함이
느껴진다.
집에다 걸어놓고 싶은 욕심이 생길 정도로 말이다. 화가 나거나,
속상할 때, 이 그림을 보면 사라질 것 같은 생각이 든다. 사춘기
아이와 손님처럼 지내고 있는 엄마인 나에게는 새로운 환경을
살아가고 있다. 말로만 듣고, 주변 아이들만 보다가 내가 겪으니 더욱
하나하나 행동들을 알게 된다.
대화를 하는 말들이 왜 중요한지도. 어른이 나도 아이가 되어버린다.
아이가 말을 예쁘게 안 하면 나도 같이 안 한다. 회사에서는 말을
조심스럽게 한다고 하지만 상대가 어떤 말투로 하느냐에 따라 같이
말을 하게 된다. 우리가 사용하는 말에는 온도가 있다. 차가운 말을
들을 때 상처받고 서운하기도 하고, 따뜻한 말을 들을 때는 기분이
좋고 웃음을 짓게 된다.
들을 때 기분 좋았던 말들을 반대로 생각하면 기분 좋은 말들은 자주
해주면 된다.
쉽지는 않겠지만 다정한 말, 따스한 말을 해주는 것도 연습이
필요하다.
아이와 대화를 하면서 다시 한번 내가 자주 하는 말이 어떻게
하는지? 자주 사용하는 단어는 어떤 게 있는지? 의식을 하게 된다.
서로에게 다정하게 말을 해줄 수 있는 말 그릇이 큰 어른이 되어
본다.

향기로운
사람이되자

della_Calli

물들다.

평화로운 사람 곁에 있으면
그 평화로움에 물들어 나도 잔잔해집니다.
사람은 사람을 물들게 합니다.

그래서 우울하고 슬픔이 많은 이에게는
밝고 씩씩한 사람 곁에 가서 머물라 합니다.
그 사람의 씩씩한 에너지에 물이 들기 때문입니다.

지금 이 순간 나 또한 누군가를 물들게 합니다.
좋은 마음, 건강한 에너지로
다른 사람을 물들이고 싶습니다.

에필로그

캘리그라피를 독학으로 시작하면서 자주 사용하는 말, 삶을 대하는
자세, 나를 알아가는 마음가짐, 평범한 일상들의 소중함을 대하는
자세와 긍정의 마인드를 배웠습니다.
짧기도 하고, 길기도 한 3년이라는 시간에 캘리그라피를 쓰고, 또
쓰고 하면서 제 자신의 변화를 간절히 바래어 보기도 했습니다.
지치고 힘든 일상 속에서도 소중한 것을 깨닫고, 지금 주어진 나의
일상들이 주는 지혜를 캘리그라피에 담아보았습니다.
아마도 캘리그라피를 사랑할 수 밖에 없는 이유이기도 합니다.
가지지 못한 것에 삶을 허비하지 말고, 주어진 나의 일상을 사랑하는
법을 다시 한번 배우게 되었습니다.

차해민

작가라는 이름을 붙이기도 민망한 저는 처음으로 글을 책으로 만들어 보는 사람입니다. 두 아이의 엄마로 살다가 심심해서 독서를 하고 다들 글을 쓰니까 궁금했습니다. 뭐든 실행을 해보는 게 인생을 살아 움직이게 해준다는 생각으로 겁 없이 뛰어든 초보입니다. 자동차는 면허 없이는 운전을 하면 안 되지만 글은 면허가 없어도 누구나 써 볼 수 있지 않을까요? 블로그에서 육아일기를 가끔 쓰다가 포털메인에 한 번 오르고는 우쭐해 본 적은 있습니다. 이번에는 에세이를 좋아해서 에세이 쓰기에 도전해 봅니다. 늘 방황하는 사람이지만 '인간은 지향하는 한 방황한다' 는 괴테의 글에서 용기를 얻고 글을 씁니다.

차해민 애(愛)say

봄바람 휘날리며

벚꽃이 만발한 4월을 사람들을 여러 지역에서 만끽하고 있다. 둘째

주에 접어든 어느 날, 비가 몇 번 오다가 이제는 꽃이 질 날만 남은 것이 아쉬워진다.

벚꽃이 꽃비처럼 휘날리는 모습에 아이들은 '까르르' 웃으며 꽃잎을 잡으러 다녔다. 그러다가 등원 버스가 와서 태워 보내면 나는 동네 커피숍에서 커피를 한잔하고 바로 앞의 언덕처럼 완만히 오른 공원을 걸었다. 몇 바퀴 걷다가 전화가 왔다. 남편의 전화다. 자동차 정기 점검을 받고 온 남편과 만나 팔짱을 끼고 동네 한 바퀴를 돌아본다. 지나치는 초등학교 앞에 벚꽃으로 만든 하트를 발견했다. 여유롭게 산책하는 길이 더욱 따뜻하고 설레는 봄의 하루를 만들어준다. 때마침 주변에 사람이 없어 남편이 더 열심히 하트를 깔끔한 모양으로 다듬어주며 찍으라고 권한다. 아무도 없는 듯 하지만 도로에는 신호에 걸린 버스 안 사람들이 모두 우리만 보는 기분이 들어 부끄러워 얼른 사진을 찍는다.

봄이 되면 가로수가 벚나무인 우리 동네는 걷기만 해도 꽃놀이 하는 기분이다. 이렇게 꽃비가 내리는 날에는 결혼하고 처음 맞이한 봄이 생각난다. 바로 옆이 경주인데 너무 복잡해서 동네산책으로 봄바람을 맞으며 걸었던 그날의 기분을 다시 느낀다. 임신한 지 5개월쯤이라 긴 회색 바탕에 하얀 줄무늬 남방을 입고 긴 스카프를 두르고 남편의 팔짱을 끼고 꽃비를 즐기며 사진을 찍었던 신혼 시절을 회상해 본다. 같은 길을 걸으며 8년차 부부임에도 이런 기분을 느낄 수 있다는 것이 이상하다. 비록 이번에는 미세먼지가 나빠서 대기가 희뿌연 날이라

마스크를 끼고 돌아다니고 있지만 기분은 다르다. 봄을 느낄 수 있는 꽃이 피고 따스한 봄바람이 불고 꽃잎으로 만든 하트를 본 오늘이 내년에 다시 기억날 테다.

다시 봄이 되고 벚꽃이 피고 그 초등학교를 지나가면 하트가 생각날 것이고 그것을 다듬어준다며 손으로 바닥을 쓱쓱 치우는 남편의 모습이 생각날 것이다. 그런 우리를 보는 버스 안 사람들과 그 앞에 부끄림과 설레는 그 감정이 생각날 것임에, 앞으로 올봄이 설레고 기대된다.

문득 그러한 생각이 든다. 다른 사람들도 이러한 설렘의 기억이 다시 떠올라서 봄을 그렇게 좋아하는 게 아닐까 하고. 노래 <벚꽃 엔딩>이 봄마다 생각나는 건 그 노래에 얽힌 봄의 추억이 생각나기 때문인가 보다. 남편과 같이 걷던 그 거리를 떠올리며 가사를 흥얼거려 본다.

몰랐던 그대와 단둘이 손잡고

알 수 없는 이 떨림과 둘이 걸어요

봄바람 휘날리며

흩날리는 벚꽃잎이

울려 퍼질 이 거리를

우우 둘이 걸어요

-노래 <벚꽃 엔딩> 가사 중에-

가사를 적다가 갑자기 깨달았다. 남편과 처음 만난 날이 3월이었다는 사실이. 4월에 꽃을 보며 한창 눈에 하트가 그려진 봄이라서 나는 그렇게 봄에 대한 설렘과 추억이 생각나나 보다.

주방을 감당한다는 것에 대해

우리집 주방을 소개한다. 향초와 핸드크림, 육아에 도움 되는 좋은 글
일력, 도자기 인형과 앤틱한 양념통, 각종 소금과 커피 관련 피규어,
다회용 목화행주, 왜 있는지 알 수 없는 유모차용 선풍기. 보이지 않
지만 항시 대기해 있는 전기포트와 드립용 기구, 식기 건조대에 무질

서하게 놓이고 꽂힌 식판과 각종 컵들이 있다.

요리하는데 취미가 없다는 것을 결혼하고 아이를 키우며 깨달았다. 신혼이고 두 명일 때는 요리책을 두고 보며 이것저것 해보고 차려도 봤다. 당연히 맛있게 먹어주니까 좋았다. 하지만 요리가 능숙한 것도 아닌, 익숙해지기도 전에 아이가 생겼다. 둘 일때는 돌아다니며 먹는 것도 좋았고 일주일에 한번은 외식하기도 했다. 그런데 아이가 생기니, 내가 먹는 한 끼도 쉽지 않았다. 그것보다 더 감당이 안 되는 것은 유아식을 시작할 때였다. 이유식은 초기에는 쉬워서 직접 만들다가 후기에는 만드는 곳에서 사고 어른음식도 반찬가게에서 도움을 받으면 되었다. 근데 아이가 그냥 밥을 먹기 시작하고는 준비 없이 닥친 이 상황에 어찌할 바를 몰랐다.

그 시기에는 피할 수도, 포기할 수도 없는 문제라는 게 존재한다는 것이 받아들이기 힘들었다. 뚝딱하면 레시피를 보지 않고도 음식을 만드는 엄마들의 식판식 사진을 보며 자괴감을 느꼈다. 시간이 지나면 해결이 될 것 같은 요리솜씨는 지금 당장 한끼 해결이 문제였다.
이슬아 작가의 <끝내주는 인생>을 읽으며 저마다 감당할 수 없는 것들을 맞닥뜨리는 인생에 대한 이야기에 나는 '요리'가 생각났다. 두렵지만 피할 수 없는 공을 감당해내는 일루수처럼 매일의 끼니를 감당하며 산다. 두려움을 이겨내려는 일환으로 주방에 내가 좋아하는 것들로 꾸며놓았다. 좋아하는 피규어와 예쁜 도자기들, 한 번씩 상기시켜주는 육아도우미 글귀, 빨리 음식을 식힐 수 있는 선풍기, 잘 쓰진 않지만 가끔 찾는 향초와 핸드크림. 있는 것만으로도 위안이 되는 것들이다.

누구는 뭘 그것 가지고 그러냐고 하겠지만, 다들 그런 것 하나쯤 있을 것이다. 별거 아닐지라도 그도 다른 무언가를 감당하며 살겠지. 나도 내 주방을 감당하려고 이러한 것들로 에너지를 받는다. 작가가 에너지를 모아 글을 쓰고 독자에게 감사하듯이, 나도 내 음식을 감당하며 먹어주는 우리 가족들에게 감사하다. 오늘도 맛있게 먹어줘서 고마워!

못다한 꿈이 모이는 곳

매주 수요일마다 집 근처의 문화센터로 향한다. 이번 달은 어찌어찌하다가 3주째에 수업을 들어간다. 오랜만에 가서 다들 반갑게 맞이하며 자리를 내어주신다.

최판 기방을 옆에 두고 그 속에 있는 팔레트와 붓 통과 기다린 이그릴 케이스도 꺼내놓는다. 자리가 좁아 필요한 붓 세 개를 꺼내고 붓

통은 서랍에 둔다. 그림 물통에 물을 채워두고 그 옆에는 수건을 두고
커피를 채운 보온병은 가장 귀퉁이에 올려두었다. 마지막으로 화판 가
방 속의 화석처럼 굳은 그림을 그린 종이를 부끄럽게 올려둔다. 바로
대각선에 나보다 진도가 느렸던 분은 그새 나보다 앞서 나간다. 빼꼼
히 확인하고는 두런두런 주변의 그림을 힐끔거리며 감상한다. 하필 내
뒤로 금손의 언니들이 주르륵 앉아계신다. 옆의 언니는 캔버스에 귀여
운 캠핑카을 그리셨다.
"이 종이는 황목이에요? 와~캠핑카 너무 귀엽다. 집에 걸면 되겠어
요."
나는 그저 완성된 그림들을 보며 부러울 뿐이다.

다들 집에서 그림만 그리시나. 아이들을 다 키웠겠지만, 밥은 드시면
서 하셔야 될 텐데. 감탄과 경탄을 오가며 다시 내 책상을 바라본다.
3주 전에 색칠하다가 물이 번진 그 자국 그대로의 그림을 보며, 절로
고개가 숙여진다. 얼른 완성해야겠다는 마음으로 물감을 적셔서 자료
를 뚫어져라 쳐다보며 칠해본다. 조금 있으면 순회하듯이 칭찬과 조언
을 하는 소리에 고개가 돌아간다. 이번에는 무슨 그림을 그려오셨을
까? 매번 궁금해서 선생님이 소개해주기 전에 미리 보게 된다.

드디어 내 차례다.
"음…. 해민 씨는 형태는 괜찮고, 이건 색감은 괜찮은데 물번짐이 조
금 약해요. 이건, 이것처럼 이런 느낌이 좋아요. 이렇게 물을 좀 더 써
서 해봐요~"

"네~", 설명할 때는 집중도가 최고다. 쉬는 시간에는 다들 우르르 나와서 하나씩 자신의 핸드폰에 담아둔다. 같은 그림이라고 사람에 따라 다른 느낌이다. 서로가 칭찬 한마디, 겸손 한마디로 훈훈한 분위기라 이 수업을 더욱 사랑한다. 연세가 나보다 적은 분들이 없는데 그렇다고 대접받겠다며 으스대는 사람 하나 없이 서로를 존중하는 이 분위기가 너무 좋다.

연초에 처음으로 식사자리를 함께 했다. 그때 들었던 선생님의 말씀이 생각난다.
"코로나로 외부 강의가 끊겨서 아이들 학원을 열었어요. 지금도 오후부터 밤까지 수업이 꽉 찼어요. 그래서 다른 외부 강의를 다 끊었는데, 이 수업은 도저히 못 끊겠더라구요. 분명 똑같이 가르쳤는데 이 반의 수강생만 열정이 넘쳐서, 저도 그게 좋아서 계속하고 있습니다."

오래 다닌 편인데도 처음 듣는 말이었다. 나는 반에서 가장 게으른 수강생이지만 모두 얼마나 열심히 하시는지 공감이 된다. 무엇보다도 이 모든 것을 가능하게 해주는 것은 선생님의 아낌없이 나누는 마인드다. 취미로 배우러 왔는데도 일대일로 진지하게 지도해 주시고 한시도 쉬지 않고 한 명이라도 더 가르쳐 주신다. 그리고 가장 감동적인 건 누구에게나 칭찬 한 가지씩 한다. 칭찬을 들으면 듣는 사람도 힘이 날 수밖에 없다. 그래서 수강생 분들도 서로가 격려하고 칭찬을 한 마디씩 주고받는다. 그런 분위기로 나는 홀로 어린아이를 키워서 빠질 때

130

도 많지만 매분기마다 등록한다. 한 번씩 빠지면 안부를 묻고 걱정해주기도 한다.

처음인데도 쓱쓱 그리며 실력이 금방 늘어나는 분들을 보며 그런 생각이 든다. 한때는 이분들도 젊은 시절 그림을 그리고 싶었을 거다. 어떤 이유나 환경들이 그들의 열망을 막았을지도 모른다. 하지만 이렇게 머리카락이 희긋해지고서야 펼치는 꿈들은 더 불타올라 멋지고 감동적이다. 서로가 마음을 나누고 꿈을 펼치고 열정이 가득한 곳, 모두의 쉼터이자 치유가 되는 이곳을 사랑한다.

쓸모없는 공부는 없다

우리 아파트 안에는 작은 도서관이 있다. 여기로 이사 온 지 3년이 넘었는데 이제야 가본다. 예상대로 조용하다. 슬리퍼로 갈아 신고 들어가 신간 코너를 둘러본다. 너무 조용해서 컴퓨터 모니터 뒤에 숨은 사서를 몰라볼 뻔했다. 보통은 자원봉사자로 운영되지만 요즘은 순환 사서 선생님이 이틀 동안 있어서 오전부터 문이 열려 있다. 고심하며 고르다가 3권을 골랐다. 뚜벅이지만 아파트 도서관과 동네 도서관이 있어서 독서를 못 한다는 건 핑계에 불과한지도 모르겠다.

빌린 세 권의 책이 모두 소설인 줄 알았다. 표지가 눈에 띄어 잡은 책은 곽아람 작가의 <공부의 위로>라는 책이다. 부제가 '글 쓰는 사람의 힘은 어디에서 오는가'라는 글귀에 홀린 듯 빌려왔다. 이 책의 표지에 'ARKO 문학나눔 2022'라는 동그란 마크가 뭔지도 궁금했다. 한국문화예술위원회(ARKO)에서 문학나눔 도서보급사업으로 국내에서 발간한 우수문학도서를 선정해 여러 도서관과 지역 문학관, 사회복지시설에 보급한다고 한다. 이런 제도가 있다는 것도 처음 알았다. 어쨌든 믿고 보는 책이라는 거다.

보통 빌리기 전에 작가의 이력이나 목차를 먼저 보는 편인데 이 책은 부제만 보고 글쓰기와 관계있는 줄 알고 빌렸다. 집에서 처음 목차를 보고 '이게 뭐지?' 싶었는데 내가 동경하는 미술 관련 학문의 목차였다. 서울대 고고미술사학과를 나온 저자는 '대학공부가 살아가는 데

뭔 도움이 되겠냐'는 회의에 반문하며 자신의 성장에 많은 도움이 되는 공부였다고 한다. 대학교 학과공부를 한 20대의 성장기에 대해 쓴 책이라고 한다. 목차는 실제 1학년부터 차례대로 배우는 강의의 주제다.

'대학공부의 회의'란 말에 나도 그런 생각을 한 적이 있었다. 하지만 솔직히 그건 가르치는 분의 문제가 아니라 배우는 자의 부족이 아닐까. 실용적이지 못하다며 많은 과들이 사라지는 추세다. 그걸 결정하는 사람은 도대체 누구인가. 일명 '지잡대'라고 얕잡아 보는 지방 4년제 출신이지만, 훌륭한 교수님들이 많이 계셨다. 매학기마다 몇 백 만원을 주며 많은 학생들이 다니는데도 교수실에도 강의실에도 에어컨이 없었다. 도대체 내가 내는 등록금은 어디로 쓰는지 의문이다. 그렇다고 졸업하면 취업이 바로 학과에서 이어지는 세상도 아니다. 가성비가 적은 느낌의 '대학'에 대한 회의가 있었지, '공부'에 대한 회의는 없다. 오히려 차고 넘치는 과들과 공부 사이에서 20대 초반에 뭐가 적성에 맞는지도 몰라 우왕좌왕하는데 시간을 허비했다. 어문학 계열인데 졸업학점에 맞추려고 타 전공 학점을 들어야 했다. 그래서 심리학과, 한문교육과, 관광경영학과 수업도 들었다.

지금 생각해 보면 살면서 쓸모없는 공부나 경험은 없다는 걸 깨닫는다. 결국 필요없다며 축소시키고 없애버리는 건 학자가 아니라 운영하는 사람이 아닌가. 어디에서 읽었는지 생각은 안 나지만, '대학'은 배우는 학생들이 필요로 의해 만든 기관이다. 깊이 있게 배우려고 돈을 모아 대학을 세우고 선생님을 초빙한 건 '학생'이 주체라고 들었다.

그런데 지금은 대학이 갑이 되버린 기분이다. 이 책은 무려 우리나라에서 최고의 대학에서 배우는 학문이 들어 있다. 비록 대학생일 때는 무엇을 하고 싶은지 몰라서 방황했지만, 뒤늦게 알게 된 관심사가 책속에 들어 있다. <공부의 위로>의 저자도 학자들만 공부가 필요한 게 아니라 사람의 성장에도 공부는 필요하다고 한다. '작은' 도서관이지만 책 하나하나에 넓은 세계가 있다. 지금부터라도 근처의 작은 도서관에서 배우고 싶은 공부를 찾아보며 삶을 가꿔나가고 싶다.

나만의 방을 만들기까지

새 책장이 왔다. 결혼 8년 차에 내가 꿈꾸던 내 방이 완성되었다.

신혼 때 신혼가구에 책장 두 개와 책상이 있었다. 서재같은 것을 갖고 싶은 로망이 있긴 했다. 남편은 내 방을 만들어주겠다며 붙박이장이 있는 옷방에 책상과 책장을 넣어줬다. 하지만 결혼하자마자 아이가 생기며 그 방은 그냥 옷방이 되었고 책상은 외로이 자리를 지켰다. 아이가 4개월이 되고부터 육아서를 읽기 시작했다. 내 책장에는 육아서가 쌓이기 시작했다.

첫 아이는 6개월부터 책을 읽어주는데 잘 봤다. 그래서 욕심에 책을 많이 사주고 책장도 샀다. 아이는 걷기 시작하고는 점점 책보다 바깥 세상에 관심을 뒀다. 내방 같지 않은 옷방과 애들 물건과 책이 뒤섞인 와중에 둘째가 태어났다. 그리고 우울해졌다. 물건들이 쌓이고 엉망진창인 방이 내 마음과 같았다. 아이 둘은 서로 안아 달라하고 혼자만의 시간은 줄어들어 너무 울적했다.

그런 나를 보던 남편이 기분도 전환할 겸 부동산중개소에 구경이나 해보자며 같이 갔다. 얼떨결에 30평대 집을 구경하고 마지막에 본 집이 구조가 마음에 들어 계약했다. 어차피 대출 갚는 것은 똑같다며 아이가 두 명이니, 더 넓은 평수로 이사를 가자고 했다. 집을 팔면 쉽게 갈 수 있을 거로 생각했는데 코로나 팬데믹이 터졌다. 도시에서도 구석에 있는 우리동네는 하필 그 시기에 처음으로 코로나 환자가 발생한 여파는 컸다. 집을 보러오는 발길이 뚝 끊겼다. 집을 계약하기 전까지 집을 정리하는 게 요원해 보였는데 정신이 퍼뜩 들었다.

'집을 꼭 팔아야 해!!'

정신을 차리고 힘을 내어 집을 정리하기 시작했다. 싱크대에 낙서도 다 지우고 깨끗한 편인데도 어떻게든 더 좋게 보여야만 했다. 마음이 힘들 때는 정리를 할 힘이 없다고 생각했는데 집을 팔아야 할 생각을 하니, 없던 힘이 솟았다. 틈날 때마다 정리를 했다. 대출 규제정책이 생긴다는 뉴스에 규제 전 막차를 남편이 빠르게 행동해서 겨우 올라탔다. 결국 전세지만 이사를 한 달 반을 남겨두고 원하는 값을 받아 새집으로 이사를 했다.

새집에도 방 하나를 책장과 책상이 들어왔다. 처음에는 책장이 헐거웠는데 이사 온 지 3년쯤 되자, 책으로 가득 찼다. 독서모임을 하면서 책 욕심이 생겼다. 아이들 책을 안 샀기 때문에 내 책은 더 많아졌고, 결국 책장은 두 겹의 책들이 얹어졌다. 아직은 잘 견디는 것 같았는데 남편이 보기엔 불안해 보였나보다. 아이들 책장은 이리저리 옮겨지다가 안 읽는다며 자리만 차지한다고 창고로 책과 함께 들어가 버렸다. 작은 2단 책장 하나만 거실에 남았다. 내 책장은 점점 책 보관만 하는 곳이 되었다. 매일 하는 집안일 먼저하고 내방 정리는 계속 미뤄졌다. 그림을 배우면서 이젤과 화구들도 방 한구석에 세를 들었다. 점점 어째야 할지 모르겠기에 정리를 포기했다. 방을 보면 마음의 상태를 알 수 있다 했던가.

첫째가 학교에 다니는 나이가 되자, 남편은 책장이야기를 꺼냈다. 장난감에 관심이 멀어지며 베란다에 쌓인 장난감을 정리하고 아이들 책장을 두자고 한다. 내 책장고 이참에 더 큰 것으로 두자고 한다. 예상을 못한 일이라 내심 기뻤다. 조금은 미안하고 새로운 마음으로 책 정리를 했다. 이미 지나간 시기의 육아서를 과감히 정리했다. 아이를 어린이집에 보내기 시작한 한 엄마가 13권을 사갔다. 그 시절의 나를 생각하며 육아를 응원했다.

줄자로 치수를 재고 5단 책장과 2단 책장 두 개씩 샀다. 한쪽에 쌓아둔 책을 분야별로 나누어 뒤의 바코드를 보다가 9로 시작하는 책이 많다는 것을 알았다. 분야별로 정리하다 보면 내가 좋아하는 것이 무엇인지, 필요한 것이 무엇인지 알게 된다. 그림 관련 책과 수필집, 커피 관련 책, 육아서, 심리 책, 외국어 공부책 등등. 두 겹으로 겹쳐 꽂았던 책은 한 줄로 꽂았다. 얼추 가진 책을 다 꽂고 나니, 내 방이 완성되었다. 첫째가 초등학생이 되어 방을 꾸며주었는데 이 방도 몇 년후면 딸의 방이 되겠지만 지금은 내 방이 있음에 감사하다.
버지니아 울프의 '자기만의 방' 이라는 책 제목이 생각났다. 마침 버지니아 울프의 13작품 속 문장을 모은 책이 나와서 읽고 있다. 1884년 생인 버지니아 울프는 여성이라는 이유로 지금으로선 상상도 못할 차별을 받았다. 도서관도 여성이라는 이유로 출입금지를 당했다. '여성이 글을 쓰려면 일정한 돈과 자기만의 방이 필요하다'라는 문장을 읽으며 공감한다. 그 시기에 다행히도 숙모의 유산을 받아 계속 글을 쓸 수 있었다고 한다.

지금은 글을 쓰려면 남자든 여자든 경제적인 여유가 있어야 한다. 인기 작가인데도 글쓰기로 먹고 사는 문제를 걱정하는 글을 봤다. 자기만의 방이 있으려면 전제는 자신만의 집이 있어야 한다. 집값이 내려갔다고 해도 여전히 비싼 집값의 현실에서 나만의 방이 있어서 감사하다. 마음 편하게 내 책을 꽂아두고 오래된 노트북과 필기구를 두는 곳, 스탠드와 나무이젤과 그리는 도구를 둘 수 있는, 어디에 두어야할지 고민할 필요 없는 내 방이다. 몇 년 후에는 딸의 방이 될지도 모르지만 새 책장이 놓인 풍경을 보며 감격스럽고 감사하다. 작으면 작다고 크면 크다고 할 수 있는 그전 집에서 이사를 가려고 정리를 하던 생각이 난다. 사람은 생각에 따라 달라질 수 있음을. 내가 얻은 건 나의 방과 마음먹으면 할 수 있다는 마음가짐이리라.

그림정서

저녁 8시가 넘었다. 이제 설거지도 해야 하고 애들이 흘려놓은 부스러기도 치우고 정리한다.

"~하라고. 태블릿 꺼! 30분에는 양치해야지. 애들아~!"

결국 큰소리가 나온다. 시계를 힐끔거리다가 핸드폰 옆의 버튼을 꾹 누른다. 화면에 지그시 손가락을 대고 뜬 화면에 채팅창의 숫자를 본다.

헉. 185!

벌써 자꾸 자꾸만 쌓여가는 숫자들. 두렵지만 단체 채팅방을 다시 터치해 본다. 그림 영상이 어디 있지? 손가락으로 전력을 다해 밀어 내려 본다. 다시 찾으려고 하면 그새 채팅이 저만치 밀려온다. 으악~!

30일까지는 매일 쌓이지 않도록 했는데 조금 어려워지자, 다시 그려야지 하며 미루던 게 잘못이다. 다시는 무슨! 그날그날 했어야지. 하

140

루, 이틀…, 사흘, 나흘…, 한번 미루니까 쓰나미처럼 밀려온다. 이래서 사람들이 나가떨어지나 보다. 단체 채팅방의 부담스러운 숫자를 지우고 싶어 다시 톡톡하며 터치해서 들어갔다 나가길 반복한다.

100일 동안 어반 스케치로 사람을 100명 그리기 챌린지에 참여한 지 42일째. 한 달까지는 뭐, 이거 하나 그리는데 몇 분 걸린다고 하며 쉽게 생각했다.

어반 스케치는 주로 움직이는 사람을 포착하여 수정 없이 쭉 그리는 스타일이다. 선 하나 잘못 그려서 그림 전체가 망해서 다시 처음부터 그려야 하는 경우가 발생한다. 수정이 안 되는 이유는 펜의 특성 때문이다. 0.05mm부터 1.0mm까지 다양한 굵기의 선을 그릴 수 있는 라이너 펜을 쓴다. 내가 쓰는 펜대를 돌려 적힌 영어를 찾아본다.

'permanent. pigmented. water-based indelible ink(영구적인 유색의 수성 만년 잉크)

안 지워지는 펜이니까 신중히 그리라는 것이다.

어차피 배우는 거니까 즐겁게 배우겠다는 마음가짐은 어느샌가 빛바래지고 번호를 채워야 하는데 하며 노트의 그림번호를 재차 확인한다. 그림도 여러 번 그리면 더 잘 그릴 것은 분명하리라. 하지만 사랑해서 그리는 것과 빨리 해치우고 싶어 억지로 그리면 못난이 그림이 나온다. 그러고 싶진 않다. 아이에게 억지로 시켜서 공부 정서가 망가지듯이 나 역시도 그림 정서를 망치고 싶지 않아 이만 펜을 놓는다. 괜찮다. 이만하면 괜찮다. 잘하는 것보다 완성하는 게 중요하다. 정말 괜찮다.

다가오는 소리

새벽에 혼자만의 은둔의 시간을 가진다. 아이가 어릴 때부터 들인 습
관이 돼버렸다. 보통 영상을 보거나 책을 읽거나 여러 가지 호기심 있
는 어떤 일련의 활동을 한다. 아이가 가장 깊숙이 잠든 새벽 1시나 2

시쯤부터 두 시간 정도 나만의 시간을 즐긴다.

일본어 번역공부 숙제가 자정에 올라와서 새벽에 하려고 피곤하지만 일어났다. 책도 읽을 게 있는데 둘 중에 결국 하나만 할 수 있겠지. 숙제를 보려고 핸드폰을 펼치고는 일본어밴드에 들어간다는 게 지금 글을 쓰고 있다. 해야 할 것 중에 하나니까 세 가지 중에 하나라도 하면 된다. 글을 쓰고 있는데 다용도실에서 이상한 소리가 들린다.
'끼익 끼익~끼이이익……. 그그긍 그그그큹~'
점점 소리가 커지는 느낌에 내 등 뒤로 뭔가가 다가오는 기분이다. 이 것을 글로 쓸까. 제목은 '다가오는 소리'

결혼 8년 차, 인제야 나는 그 시간 동안 '한 가지만 쭉 했어도 무언가 이뤘을 텐데….'하고 지나간 시간을 아까워하고 있다. 이것저것 집 적대는 내 성격에 잘도. 중문과가 전공인 이유로 아이들이 크면 취직을 대비하여 중국어 원서낭독 숙제하느라 다른 방에서 소곤거리며 녹음하기도 하고 경제 공부를 해보겠다고 경제 기사 필사를 도전해 보기도 했다. 돈을 벌어보겠다며 '쿠팡 파트너스'라든지 '열정대학생'이라든지 온라인 강의도 찔끔찔끔 들어봤다. 근데 왜 이렇게 지속이 안 되는 걸까. 내가 진정하고 싶어서 하는 게 아니라 돈 버는 것으로 인정을 받고 싶었나.

두 아이의 떼쓰기가 줄어들어 조금 편해지자, 좋아하는 그림을 배우러 문화센터에 다녔다. 그리고 내가 정말 좋아하는 게 뭔지 알아갈 수 있었다. 독서 모임을 하고 중국어가 아닌 고등학생 때 좋아하던 일본어 공부를 시작했다. 몇 년 전에도 초급책 사서 끄적이다가 만 것이었는데 좀 더 적극적으로 온라인스터디에 가입해 공부하기 시작했다.

그리고 독서라는 말 뿐인 취미를 제대로 하려고 독서인증을 하기 시작했다. 점점 마음 속에 숨어 있던 꿈이 꿈틀거리며 싹을 보이기 시작했다. 언젠가 책을 쓰고 싶다. 책방이나 북카페를 언젠가, 십 년 후쯤에 차리고 싶다. 책방 사장님이 '책방 할 거면 자기 책은 써야지' 하는 한마디에 '공저 책쓰기'란 걸 도전해 본다. 글을 메모하면서 지금의 내 시선은 '글쓰기'에 가 있다. 살아가면서 가만히 있기보다 다시 제자리로 돌아간다 해도 움직여야 길이 보인다. 내 마음도 행동하지 않으면 다가오는 소리가 들리지 않는다. 오늘도 그 소리를 따라가 본다. 비록 가다가 막다른 길이라도, 다시 다른 오솔길이 보이겠지.

'다가오는 소리'로 글 하나가 만들어졌다. 이제는 소리가 그쳤다. 모르면 무서울 것 같은 소리지만 무슨 소리인지 아니까 무섭지 않다. 다용도실에 있는 음식물쓰레기 처리기 소리다. 소리가 아우성치면 가득 찼으니까 비워달라는 신호다. 내 마음의 소리가 아우성칠 때도 넘치지 않게 끄집어 내보자. 속에서 미생물이 퇴비로 만든 그것을 꺼내 꿈의 자양분이 될 수 있기를 바라본다.

나는 나 자신에게 어떤 환경인가

금요일에 엄마들끼리 독서모임을 한다. 4월부터 시작한 책은 <내면소통>이다. <내면소통>이란 책을 읽으면서 유전이라 믿었던 것이 사실은 유전과 환경이 같이 영향을 미친다는 걸 책을 통해 절실히 깨달았다.

유전자보다 임신 중에 스트레스 받는 것이나 환경요인이 몸의 구조를 바꿀 수도 있다는 것이다. 자식은 부모의 거울이란 말이 너무 들어맞는다. 책에서 나온 문장 중에 와닿는 것은 '나는 내 아이에게 어떤 환경인가. 나는 나 자신에게 어떤 환경인가.'이다.

'내가 나에게 어떤 환경을 주느냐'는 말을 달리 하면 아이도 그것을 보고 자라는 것이므로 내가 나를 객관적으로 바라봐야겠다는 생각이 들었다. 나는 안 하거나 못하면서 아이에게 ㅎ고 해보라고 강요하거나 할 수 있다고 하는 게 없는지 돌아봐야 한다. 아이에게 하는 잔소리가 있다면 그것을 나에게도 해봐야겠다. 늦다, 지각한다, 느리다…. 이게 다 내 모습이 아닌가. 책에 '신경가소성'이란 말이 나온다. 나이와 상관없이 배우고 훈련함으로써 사람은 달라질 수 있다는 것이다. 늦지 않았다. 내가 잘할 수 없을 거라 여기는 것이나 꿈꾸는 것에 도전해보자. 운동, 요리, 운전, 외국어…등등 사람은 무한대로 바뀔 수 있다 (모국어 습득은 제외다).

봄이 되니, 황사 때문인지 미세먼지가 매우 나쁘다. 이제껏 이런 뿌연 하늘을 본 적도 없고 볼 것이라고 생각도 못 해봤다. 내가 혼자 뭔가를 한다고 해서 이 환경이 쉽게 바뀔까. 어쩌면 지구라는 하나의 개체에서 티끌만 한 하나의 요인인 내가 무엇을 바꿀 수 있겠냐 싶었다. 그러나 나 하나의 생각을 바꿔야 아이가 바뀌고 그것은 더 크고 넓은 사회 혹은 세상을 바꿀 수 있다. 사람은 능동적인 존재라고 한다. 스스로 생각하고 움직이는 사람들이 이 세상을 획기적으로 바꾼다.

나는 나에게 어떤 환경을 주고 있는가. 미세먼지 가득한 유해환경을 두른 채 몸과 정신이 병들고 있지 않는가. 아이에게 뭔가 요구하기 전에 나 자신을 돌아보고 맑은 정신을 가지고 건강하게 살 수 있도록 내 주변을 가꿔나가자.

모든 게 흙이다

도서관에서 작가 강연이 있었다. 동네의 도서관에서 하는 것이라 처음이지만 <책쓰기 글쓰기 독서법>이란 책 제목에 이끌려 들으러 갔다. 처음 알게 된 작가님인데 나이도 나와 비슷하고 이미지가 친근했다. 책을 앞에 조금 읽고 갔는데 5명의 작가가 쓴 책이라서 뒤쪽에 나온 이분의 글을 아직 읽지 않은 터라 강연 내용은 새로웠다.

비슷한 나이지만 다양한 것을 경험하고 배운 삶이었다. 아프리카에 봉사하러 갔다가 '나는 흙이다'라는 것을 깨달았다고 한다. 그 문장이 여러 가지 뜻이 있을 듯해 궁금했는데 한 분이 그 질문을 했다. 결국 사람은 한 줌의 흙으로 돌아간다는 말을 의미하고 있었다. 어쩌면 같은 지구에 있지만 너무 다른 삶과 죽음을 가까이에서 보고 깨달은 것이 아닐까.

이제 막 초등학생이 된 아들의 말이 생각났다.
"엄마, 죽으면 어떻게 되는 거야?"
그때 내가 그렇게 대답했다.
"죽으면 몸이 모두 멈추고 점점 없어져서 흙이 돼."
"흙이 된다고?!"

아들은 그 이야기에 조금 놀란 듯하다가 다시 물었다.
"하늘나라로 가는 건 뭔데?"
"죽고 난 세계에 대해서 정확히는 모르겠지만 사람은 죽으면 이렇게 몸은 흙이 되고 안에 영혼이 있는데 그건 하늘나라로 간대."
"영혼이 뭐야?"
"영혼? 그 귀신 같은 거랄까. 사람의 생각, 정신… 사람의 몸 안에 그런 게 있어."

여덟 살한테 설명하기에는 나도 정의되지 않는 단어가 어렵게 느껴질 수밖에 없다. 어쨌든 최대한 아는 말로 풀어주다가 '나도 모르겠다'라는 기분이었다. 갸우뚱하며 물음표가 가득한 아이는 결국 결론을 내렸다. 모두가 죽으면 흙이 된다는 것을. 그것이 가장 알기 쉬운 말이었으리라. 아들에게는 그렇게 말했지만, 아직 와닿지 않는다. 이렇게 잘 살아 보겠다고 아등바등해도 모두가 끝은 흙이라니. 끝은 흙이라는 것이 아직 인정이 안 되는건지도 모르겠다. 아니다. 아직 '삶의 끝'을 알고 싶지 않은 건지도 모르겠다.

30대가 막 되었을 무렵 잠시 백수가 되었을 때, 친하지는 않지만 직장에서 자주 보던 이의 갑작스러운 비보에 아주 허탈하고 우울했다. 건강검진을 받다가 두 달 만에 흙이 돼버린 그 소식을 믿을 수가 없었다. 그리고 사람의 끝은 언제인지 알 수 없다는 진실이 확 와닿았고 허망한 기분이었다. 마침 하기 싫은 공부를 하고 있었고 내가 언제 죽어버릴지 모르는데 하고 싶지 않은 공부를 붙잡고 시간을 보내는 게 맞는 것인가 하는 생각이 들었다. 내 시간이 너무 소중하게 느껴졌다. 결국 공부를 때려치우고 다시 일터로 나갔다. 지금은 그때의 느낌이 많이 희미해졌다.
사람은 망각의 동물이라 장단점이 있다. 기억해야 할 것은 자꾸 일깨워 줘야 한다. 그렇게 해주는 도구로는 '독서가 제격이다'라는 생각이 든다. 그 작가님의 강연 중에 한 말이 생각난다. 이 두 가지 질문을 스스로에게 던져야 한다고.

'너는 누구인가?'
'누구여야만 하는가?'

149

사람은 결국 죽으면 모두 흙으로 돌아간다. 그전까지 모두 다른 삶을 살아간다. 첫째를 등교시키고 유치원생인 둘째와 공원을 걷다가 개미가 집을 만드는 모습을 본다. 열심히 흙의 알갱이를 나르는 일개미를 보며 마치 사람의 인생 같다는 생각이 들었다. 자신이 열심히 나르는 그것은 결국 흙의 일부분인데 무엇을 그리 바삐 살아가는 것일까. 무엇을 위해 나르고 있는지 생각하며 살아야겠다. 흙이 되기 직전에 '이만하면 잘 살았다'는 말이 뇌리에 스치기라도 지나갈, 그런 삶이길 바라본다.

너의 이름은

아, 드디어 이만 오천 원짜리 원두가 도착했구나.

'콜롬비아 엘 엔칸토 허니 스윗 넥타'

아래 적힌 대표적인 맛인 복숭아의 핑크빛으로 예쁘게 디자인된 봉투의 오른쪽엔 금박으로 'Limited Edition'이라는 글자가 반짝인다.

책 정리를 해서 중고로 팔고 들어온 인터넷서점 예치금으로 산 커피 원두다. 다른 원두보다 만 원은 더 비싼 가격에 놀라 얼마나 맛있기에 싶어 책보다 비싼 원두를 주문해 봤다. 빨리 마시고 싶어 몸이 근질거린다. 주말 아침 전기밥솥이 '칙칙~'거리며 밥을 하고 있다. 밥이 완성되기까지 시간이 남았다. 아이들은 일찍 일어나 서로 장난치며 춤을 추며 놀기에 바쁘고 남편은 새로 개통한 아들 핸드폰을 집중하며 만지작거리고 있다.

그래, 바로 지금 빨리 커피 한 잔을 하자. 얼른 빈티지한 풀색의 전기 포트에 물을 담아 버튼을 눌러놓고 옥색 도자기 드리퍼를 꺼내 서버에 올린다. 머리 위의 찬장을 열어 바로 집을 수 있게 꽂아둔 갈색 종이 드리퍼도 꺼내 아래를 접어 도자기 드리퍼 위에 살며시 올려둔다. 자, 이제 개봉박두!
원두 가루가 담긴 지퍼백 형식의 봉투를 뜯어 조심스레 가루를 드리퍼에 부어본다. 계량 도구는 있지만, 귀찮다. 눈대중으로 붓고 평평하게 만들어주고 팔팔 끓어오른 포트를 들어 올린다. 주둥이가 가늘게 물결 표시로 휘어진 은색 주전자에 끓는 물을 부어 뚜껑을 닫고 천천히 물줄기를 기울여서 원을 그린다. 거품이 보글보글 올라오며 기분 좋은 향이 퍼진다. 우와!
진짜 달콤한 복숭아 향을 뿜어낸다. 마치 숲에서 신선한 공기를 마시려고 코를 벌름거리듯이 자동으로 들숨을 쉬게 된다.

다 내려진 커피를 아끼는 예쁜 커피잔에 부어서 맛을 본다. 봉투에 적힌 것처럼, 방금의 향이 거짓이 아닌 것처럼 달고 향긋한 복숭아 맛이 난다. 마치 커피가 담긴 분홍색 봉투는 '거봐~맞지? 맞다니까. 잘 산 거라니까.'라고 말하듯이 거만하게 금박 마크를 단 어깨를 으쓱이는 것 같다.
'그래, 맞아. 이 맛이야. 이 정도는 돼야지~'
마음 속으로 엄지척을 날리며 흐뭇한 미소가 지어진다.

흐뭇한 마음도 잠시.
"여보~이거 당신이 잠근 거야? 이건 당신이 풀어줘야 내가 할 수 있지…쏼라쏼라…참, 병원 안 가? 얼른 씻고 가야지."
"응. 애들 밥 주고 씻고 가려고요. 이거는 내가 어제…"

아이의 방과 후 학교 수업 때문에 어쩔 수 없이 산 핸드폰의 설정을 두고 이야기하느라 금방 시간이 간다. 한의원 예약 시간이 빠듯하여 시계가 나를 재촉한다. 앗 내 커피! 아쉽게 남은 커피를 두고 발길을 돌리고 욕실로 향한다. 오늘도 한 잔을 뜨거울 때 오롯이 느껴보지 못하는구나. 내 마음처럼 차갑게 식어가는 향긋한 꿀 복숭아 향의 커피여. 다음에는 우리끼리 있을 때 마음껏 즐겨보자. 이만 안녕….

10분의 휴식

남편이 이번 주말을 쉰다고 해서 시댁에 가기로 해서 아침부터 서둘렀다. 아이가 어린 집은 알다시피 서둘러도 할 일이 많다. 아침 차려먹고 설거지하고 세탁기 돌려놓고 씻고 짐 챙겨가다 보면 이미 점심시간이다.

오늘따라 아이들은 잠을 안 자고 이야기를 하는 중이다. 군것질거리를 챙겨줘도 차 타는 중이라 잘 먹지는 않는다. 30분 동안 떠들더니, 결국 배고프다는 소리를 한다. 가장 가까운 곳의 휴게소를 내비게이션에서 보고 간다.

0.3km 앞의 건천휴게소에 도착했다. 키오스크로 불고기비빔밥과 라면과 김밥 정식, 황태 미역국을 주문했다. 밥 안 먹다는 딸은 불고기를 입에 밀어 넣어주니, '앙'하고 한입 먹고는 맛있다며 내 몫을 다 해치운다. 충무김밥을 먹던 아들도 불고기 몇 점을 먹고 미역국을 후루룩 잘 먹는다. 큰 대접에 나온 황태 미역국이 양이 많아서 다행이다. 나도 밥이나 말아먹어야 겠다.

다들 먹을 만큼 먹고 나는 아이스커피를 한 잔 시켜본다. 휴게소 커피는 홀더에 적힌 문구부터가 다르구나.

"10분의 휴식이 생명을 지킵니다."

휴게소에서의 10분은 배고픔을 해결해 주고 화장실도 해결해 주고 졸음도 해결해 주고 고로 생명을 지켜준다. 그런데 우리 애들의 수다는 그대로다. 봄이 되면 서울 구경하러 가려는데 경상도에 사는 우리는 벌써 걱정이 된다. 남편이 아이들이 떠드는 모습을 보며 말한다.

"이렇게 떠드는 데 기차를 탈 수 있겠어? 차 몰고 가는 게 낫지. 에휴~"

평소에 차에서 잘 자더니, 이제는 좀 컸다고 잠을 안잔다. 도착할 때까지 아이들의 입은 쉬지도 않는다. 휴게소에서 밥 먹느라 애들 입도 푹 쉬었겠다. 둘이 노래를 따라 부르다가 밖을 보고 떠든다. 갑자기 무릎담요를 뒤집어쓰고 장난을 친다. 아이들의 두서없는 이야기가 난무하고 틀어놓은 90년대 댄스노래의 가수가 고음을 내지른다. 여섯 살인 둘째가 가장 좋아하는 노래가 코요테 노래라서 요즘 계속 틀고 다닌다(우리의 영향인가). 그 속에서 아이들의 웃음소리가 섞여 들린다.

아, 우리의 고막은 언제 쉬나. 10분이라도 조용히 있고 싶다.

커피 체질로 만드는 법

커피는 왜 마시고 싶은 것일까. 나는 커피를 배우기 전만 해도 카페인
에 민감해서 심장이 두근거려 못 마셨다. 그래서 마셔도 커피믹스만
먹었다. 15년 전인 어느 날, 같이 일하는 언니가 커피를 안 좋아하는

나에게 같이 커피 만드는 과정을 배우러 가자고 했다. 뭔 생뚱맞은 소리인지 몰라도 그때의 나는 또 왜 따라갔는지 모르겠다. 회사를 다닌지 얼마 안 되었고 회사와 집만 왔다 갔다 하는 것이 지겨웠는지도 모르겠다.

카페처럼 기계로 커피를 내리는 법을 배우는데 이 때 자신이 내린 에스프레소를 맛봐야 한다고 해서 몇 잔을 연거푸 마셨다. 그러고는 카페인에 민감한 몸은 점차 카페인을 받아들이기 시작했다. 수료증까지 받고 나서는 한동안 아메리카노 말고는 못 먹을 정도였다. 깔끔한 블랙커피가 입에 적응되어 다른 종류의 커피가 텁텁하게 느껴졌기 때문이다. 그렇게 커피체질로 변해서 커피를 예찬하는 내 모습에 다른 매장에 일하는 언니가 핸드드립을 배웠다. 핸드드립은 기계가 아닌 커피가루 위에 직접 물을 부어 커피를 내리는 방식이다. 그렇게 배워서 회사의 점심식사 후에 핸드드립으로 커피를 내려주어서 드립커피를 접한다. 이 또한 맛이 달라 매력이 있어 기구를 사서 어깨너머로 배운 핸드드립으로 집에서 마시곤 했다.

결혼을 하고 아이를 키우면서 커피를 더 많이 마시게 되었다. 육아에 지치다가도 커피 한 잔을 내려 마시면 온 세상이 잠시지만 평온하고 다른 공간에 있는 기분을 느끼게 하기 때문이다. 그렇게 내 몸은 커피가 아니면 안 되는 체질로 변해갔다.

요즘에는 디카페인 커피도 카페에서 종종 보인다. 디카페인 커피는 커피를 좋아하지 않는 사람이 마시지는 않을 것이다. 커피 맛을 좋아하는데 커피를 너무 많이 마셔서 좀 자제를 하기 위해 마시는 거다. 나도 임신했을 때나 하루에 너무 많이 섭취했다고 느낄 때, 혹은 저녁인데 마시고 싶으면 디카페인 커피를 마신다. 작년까지만 해도 일반 커피원두와 디카페인 커피원두를 둘 다 사놓고 시간에 따라 마셨다.

그런데 어느 날, 디카페인 커피에 대한 진실을 알고 말았다. 디카페인으로 만들기 위해 다른 첨가물을 넣기 때문에 몸에 더 안 좋다는 사실을 알고야 말았다. 사실 커피도 술처럼 한 잔도 안 마시면 좋다고 한다. 커피도 한 잔씩 마시는 게 건강에 좋다니 뭐니 그런 말이 있지만, 결국 술도 그런 기사를 봤다. 결국 기호식품처럼 생각해야 한다. 진실을 알면서도 내 삶에서 떼어놓을 수 없는 게 커피다. 그 후로 디카페인 커피 원두는 따로 주문하지 않는다. 카페에서 디카페인을 마셔야 할 때는 차라리 다른 차 종류를 주문한다.

디카페인 커피가 더 몸에 안 좋다니, 오늘도 마음 편하게 그냥 커피를 마신다.

고민이다

새 커피를 내려먹을지, 이 커피를 마저 마실지 고민이다. 일반적으로
어제의 커피보다 오늘의 커피가 낫고 오늘의 커피 중에 지금 막 내린
커피가 맛있다. 그런데 이 원두는 비싸게 산 커피다. 버리기가 아깝게
향도 살아있다. 하루가 지났는데 향이 살아있다니!

어떡하지. 그래도 진하고 뜨거운 커피를 마시고 싶은데. 이 남은 커피
는 식었다. 뜨거운 물을 부으면 묽은 밍밍한 맛의, 향은 조금 살아있

는 커피가 될 것이다. 역시 맛이 없겠지? 느긋한 토요일 아침인데, 맛 없는 커피를 마실 수 없다. 아깝지만 버리고 새 커피를 내려야지.

아들이 달려와서는 엉덩이를 쭉 내밀고는 픽 하고 방귀를 냅다 뀌고 간다. 이 녀석이.

엄마가 심각한 고민을 하고 있는데 말이다. 애들은 밥을 주고 나는 혼자서 밥 먹기가 싫다. 밥도 안 먹고 아까부터 커피를 새로 내리느냐 버리느냐로 고민하고 있다. 빈속에 커피는 안 좋다고 해서 초코맛 파이를 하나 먹었다. 에이스도 꺼내서 막 내린 커피랑 같이 마시면…생각만 해도 좋다. 커피를 내리자~

원두 200g에 2만5천원인 커피를 버리려고 생각하니, 쏟으면서도 아~ 아까워라. 그래도 밖에서 사 먹는 커피보다 저렴한가. 보통 눈대중으로 커피가루를 붓는데 계량스푼으로 두 스푼을 붓는다고 가정해 본다. 스푼은 선에 맞추면 12g이라니까 가득 채우면 18g정도 될 것 같다. 두 스푼이니까 36g이면 조금 과한가? 물을 붓는데 둘째가 장난치는 오빠 때문에 삐쳐서 온다. 번갈아 보며 달래다가 물을 너무 부어버렸다. 300ml를 내릴 것을 400ml나 내려버렸다. 보통 한 번에 250ml를 내려야 되지 싶은데, 바리스타 자격증을 너무 쉽게 땄나. 기억이 안 난다. 그래서 한 봉지로 커피를 몇 번 마실 수 있냐하면, 200÷36=5.555555556번이 나온다. 커피를 1번 내리면 두 잔은 마실 수 있다. 그러면 5*2=10잔이 나온다.

25000÷10=2500

1잔 당 2500원 인가? 보통의 원두는 12000~15000 하는데 천원

비싸지만 하*동 커피나 컴*즈 커피값과 별 다를 바가 없다. 하지만 맛은 더 좋으니까 원두가 비싸도 내려 마시는 게 더 저렴하긴 하다. 갑자기 왜 이런 쓸데없는 계산을 했는지 모르겠다. 그냥 궁금했다. 버린 커피가 5백 원어치 정도는 되겠다.

컵이 가득하게 커피를 붓는다. 막상 먹으려고 앉고 보니, 배에서 '꾸르르륵' 소리가 난다. 둘째가 반찬만 먹고 남긴 밥을 김에 싸먹는다. 나는 종종 커피를 마시려고 밥을 먹는다. 나만 그런 줄 알았는데 다른 엄마도 그런 말을 하더라. 나만 이상한 게 아니었다. 원두가 안 비쌌으면, 좀 덜 맛있었다면 이런 고민도 안 할텐데. 커피나 마셔야겠다. 혼자만 알고 마시기 아까운 커피다. 오늘도 나만의 행복을 간직하며 감사 일기에 한 줄 적어야겠다.

강릉의 맛

동네편의점에서 1300원 짜리 커피를 샀다. 편의점에서 기계에서 나오는 커피는 거의 처음 먹어본다. 커피를 마실 때는 카페에 앉아 나만의 시간을 가지기 위해 마시거나 집에서는 맛있는 원두커피를 마시고 싶을 때 마신다. 공간이 좋거나 맛이 좋거나 둘 중 하나는 해야 하는데 편의점은 보통 그런 적이 없으니까. 아니면 아이들이 밖에서 실컷 놀고 마지막 코스로 들르는 빵집에서 쉴 겸 마시는 커피도 있다.

오늘은 딸이 첫째의 등교를 같이 하고 돌아오는 길에 편의점을 들렀

163

다. 그 곳에서 '아차, 이거다' 하고 생각이 나서 커피를 마셔본다. 왜 편의점 커피를 일부러 마시냐고?

유튜브 광고에서 편의점에서 파는 커피를 홍보하는 광고를 보았다. 엇, 저분은! 바리스타 1세대인 박이추 선생님이 아니신가. 커피의 원두 블렌딩과 로스팅까지 심혈을 기울여 편의점과 콜라보하여 커피가 출시된다고 한다. 집중하는 선생님의 옆모습에, 십여 년 전에 강릉의 커피축제에 다녀온 카페 '보헤미안'이 생각났다.

때는 11년 전, 커피를 좋아하게 된 지 얼마 되지 않은 시기였다. 나로 인해 핸드드립을 배우고 커피를 좋아하게 된 지인이 갑자기 강릉커피축제에 같이 가자고 권했다. 나는 그 당시 대구에서 살았고 면허 없는 '뚜벅이'였다. 권유한 그분은 자신이 운전하겠다며 무려 강릉으로 당일치기 커피여행을 결정했다. 가본 적 없는 강릉에 오로지 커피 하나의 목적으로 여행을 간다고 해서 설레었다. 강릉에는 많은 커피점이 있었고 어디 갈지 정하느라 고민되었다.
가장 일 순위는 강릉의 <보헤미안>이었다. 바리스타 1세대인 박이추 선생님이 운영하는 카페다. 커피를 처음 취미로 배울 때 어느 수강생이 묻길, '가장 맛있는 커피는 어느 곳인가요?'라는 어찌 보면 황당한 질문이지만 강사님이 세 곳을 말해줬는데 그 중 하나다. 그래서 이 곳은 꼭 가봐야지 하며 마음에 저장을 해두었던 곳이다. 당일치기라 시간이 부족해서 일단 그곳 말고는 후기를 보고 대충 골라두고 강릉으로 출발!

5시간 걸려 처음 간 곳은 강릉커피축제 현장이었다. 각종 커피기구와 원두를 홍보하고 바리스타 대회도 열렸다. 원두도 구매하고 귀한 게이샤 커피시음회가 있어서 줄을 섰는데 핸드드립으로 내려주다 보니, 줄은 길고 커피는 적었다. 그래서 물을 많이 타서 밍숭맹숭한 맛에 실망했다. 다음 장소는 후기가 좋아서 간 오션뷰의 카페였다. 돈가스와 커피를 같이 파는 곳이라며 맛 후기가 아주 점수가 높길래 찾아갔다. 카페에 들어선 순간, 뭔가 잘못되었다는 느낌을 받았다. 약간 거부감이 드는 커피 향 방향제 냄새에 돈가스를 들고 텅 빈 2층에 올라가서는 속았다는 기분이 들었다. 냉동 돈가스라니! 우리처럼 속아서 긴가민가 하며 올라온 한 여성은 결국 사진만 찍고는 음식을 남겼다. 커피 맛이 뚝 떨어져서 커피는 주문을 안 해도 될 것 같았다. 그 다음으로 간 곳이 <보헤미안>이었다.

장소는 약간 외진 곳인데도 생각보다 연배가 있는 분들로 북적였다. 대기를 하다가 앉았는데 선생님이 직접 내려주는 커피는 못 마셨지만 로스팅하는 곳이 바로 우리 테이블 옆이라 흘끔거리며 관찰했다. 커피잔도 예뻐서 요리조리 살피며 한 잔을 커피를 아껴가며 마셨다. 핸드드립 커피의 맛에 빠지게 된 게 그 무렵이었을 것이다. 그분이 직접 내리는 모습을 못 보았지만 영상을 찾아본 지인이 신기한 듯 말한 게 기억난다.

"나는 핸드드립은 물줄기를 가늘게 천천히 원을 그리며 해야 한다고 생각했는데 선생님은 물을 그냥 부으시더라고. 그래서 저렇게 해도 맛이 나나보다 싶어서 앞으로 그렇게 해보려고."

나는 그때는 그런가보다 싶었는데 작년에 문화센터에서 하는 바리스타자격증 수업에서 알게 되었다. 그것은 규모가 큰 카페에서 드립할 때 시간을 재어서 물을 부어 일정한 맛을 내기 위한 방법으로 '풀오버(full over)' 방식이라고 한다. 역시, 그냥 막 붓는다고 되는 게 아니었다.

그렇게 또 하나를 배운다. 커피 하나에 추억과 지식이 켜켜이 쌓여 커피는 더 맛있어진다. 기후 온난화로 예민한 커피나무도 살아갈 곳이 적어지고 몇십 년 후에는 커피가 사라질지도 모른다. 그래도 커피는 알면 알수록 신기하고 깊고 넓은 세계가 펼쳐져 좋아하는 사람이 점점 늘어나나보다. 십 년 전에는 상상도 못했던 일이다. 편의점에서 커피농장과 연결하여 원두를 받고 그것을 유명한 바리스타가 블렌딩과 로스팅까지 해서 공급하는 사실이 놀랍다. 그만큼 커피를 사랑하고 사랑하면 더 알고 싶고 더욱 맛있는 커피를 마시고 싶지 않겠는가. 이제는 비싼 가격이 아니래도 가까운 곳에 착한 가격으로 맛있는 커피를 마실 수 있는 시대다. 오늘도 아들을 등교시키고 딸과 함께 편의점에서 따뜻한 강릉의 추억과 맛을 느껴본다. 이 맛, 지금 즐기세요!

썰어본 경험 세 가지

매주 수요일 문화센터에서 수채화를 배운다. 수채화시간이지만, 어반
스케치로 스테이크를 그리고 색칠을 하니, 다들 지나가시면서 '한번
먹어보고 싶네~'라며 한마디씩 하신다. 그리고 보면 진짜 분위기 있
는 레스토랑 가본지가 몇 번인지 잘 기억이 안 난다. 아이가 생기고
나서는 아직 어려서 아예 갈 생각도 안 했던 것 같다.

처음 간 건 결혼하고 두 번째 내 생일에 남편이 레스토랑을 예약해서
갔다. 첫째만 있을 때라 유모차에 태우고 테이블 옆에 세워두고 먹었

다. 레스토랑 이름도 생각난다. '자스민' 이랬나? 다음에 갔을 때는 돌잔치 등 행사위주로 공간을 써서 허탕을 치고는 가본 적이 없다. 아이가 두 명이 되고 부터는 그런 조용하고 분위기 잡고 썰어보는 곳은 얼씬도 못할 것 같았다.

그런데 재작년에 제주도 가서는 헉 소리 나는 5성급 호텔에 숙박하게 되었다. 비행기가 연착되어 숙소에 너무 늦어 피곤하고 배가 너무 고팠다. 몸이 하필 아파서 컨디션이 최악이었는데 끌고 온 몸이라 가격도 모르고 첫 날에 호텔 디너뷔페에 가서 먹었다. 뷔페에 스테이크랑 맛있는 게 많았는데 그 비싼 산해진미를 앞에 두고 애들이 시간차로 떨어뜨리는 숟가락과 포크를 줍느라 스테이크 맛이 생각나지 않았다. 런치가격을 보고 가는 바람에 계산할 때 가격듣고 순간 충격. 남편은 마지막 날에 먹을 생각이었는데 내 컨디션이 안 좋아서 말을 못 했다고 한다. 애들도 다 가격을 받았는데 얼마 먹지 못했다. 그 이후로 대충 끼니를 때운 건 내 기분 탓인가. 제주도 여행은 먹는 것에서 기분이 안 좋아서 더이상 말하고 싶지 않다.

'썰어본다'는 말에 먹으려고 썰어본 이야기가 아닌 누구에게 주려고 고기를 썰어본 기억이 떠올랐다. 식당을 하시는 엄마가 우편함에 손을 넣어서 빼다가 안에 걸쇠에 손등을 크게 베었다. 대수롭지 않게 생각하셨지만 걱정되어 같이 간 정형외과에서 긴급수술을 했다. 인대가 끊어진 지도 모르고 동네 정형외과에 가서 수술을 했는데 오른손이라서 한 달을 쓰지 말라고 했다. 동네 장사라서 도저히 쉴 수 없다며 일하는데 나는 마침 직장을 그만두고 쉬던 때라서 도왔다. 엄마의 고집에

어쩔 수 없이 처음으로 고기를 썰어야 했다. 지금 생각해 보면 백수인 나도 엄마가 식당 문을 열 수 밖에 없는 이유인지도 모르겠다.

어쨌든 여름에 깁스를 하고 있는 엄마 대신에 일을 돕기로 했다. 돼지 머리를 아낌없이 고기를 많이 만들도록 썰어야 했다. 내가 7살 때부터 한 일이었는데 30대가 돼서 고기는 처음 썰어보았다. 삶은 돼지고기가 그리 무겁다는 것도 처음 알았다. 그 후로 10년이 흘렀다. '올해까지만 일해야지' 하는 말을 들었지만 진짜 이제 그만하셨으면 좋겠다. 30년 넘은 국밥의 맛도 비법도 아깝지만 우리 엄마는 소중하니까. 우리 엄마도 이제 그만 썰어서 누구 주지 말고 직접 썰어서 드시면서 살라고 말하고 싶다. 그까짓 것, 썰어봅시다!

세상을 바꾸는 힘

발단은 이 알 수 없는 파란색 바나나였다. 내가 아들에게 사 준 브리태니커 호기심 백과에 세상에 신기한 과일과 채소의 사진이 있었는데 아들의 눈길을 끈 건 이 '블루 자바 바나나'였다. 어린이의 호기심은 무엇이든 옳다고 생각하지만, 하필 잠자리에 들기 30분 전에 시작되었기 때문이다.

미디어 보는 시간도 끝나고 볼 수 있는 건 책뿐이었으니까 더 놀고 싶은 마음에 집어 든 책일 것이나. 아들은 이 푸르죽죽한 바나나에 꽂혀 대뜸 이 바나나를 사달라는 것이다. 바나나에 대한 설명이 있으면 좋을 텐데 이름 말고는 없었다. 양치질을 하면서도 파란 바나나 이야기를 했다.

"이 바나나는 우리나라에 안 판대."
"그럼 자바에 가야 되나? 그런데 자바가 어느 나라야?"
"자바? 어…아프리카 쪽에 있나?"

그렇게 자바에 대한 궁금증으로 이어졌다.

"엄마 엄마, 핸드폰으로 검색해봐~"
"지금 잘 시간인데 무슨 폰이야. 내일 알아보자."

내일까지는 못 기다리겠는지 자기 방에 있는 지구본을 들고 왔다. 아프리카 대륙의 많은 나라를 샅샅이 본다.

"엄마! 없어. 자바라는 나라는 없는데? 있는 거 맞아?"
"맞아. 분명 있긴 있는데…."
"에이~아무리 찾아봐도 없는데."
"아니라니까. 아, 맞다. 그런 노래가 있어. 아이 럽 커피~아이 럽 음~아이 럽 자바자바 음음음~ 커피 앤 프림~"

난데없이 생각난 자바커피 노래가 생각나서 자바라는 나라가 있다며 기억이 가물가물한 노래의 가사를 흥얼거렸다. 나도 가사가 잘 생각

안 날 정도로 오래된 노래를 알파세대 앞에서 부르고 있는 모습에 아이는 '엄마 뭐 하는 거지?' 그런 표정이다. 검색만 하면 알 것을 잘 시간이라고 폰을 안 써서 생긴 일이다. 일부러 아날로그가 된 시간 속에서 '자바'가 있냐 없냐로 8살 아들과 설왕설래하다가 내일 알아보자며 잠들었다.

다음날 아침, 블루 자바 바나나 이야기가 나와 남편에게 자바가 나라가 맞지 않냐고 다시 가사도 모르는 자바커피 노래를 흥얼거렸다. 남편은 어이없다는 표정으로 '그건 커피 이름이잖아'고 했고 결국 셋이서 '자바'를 검색해봤다.

"자바는 나라가 아니라 섬 이름이야."
"아~맞아. 자바섬이라고 있었어."

뒤늦게 아는 척 해보며 혹시 남미 쪽인가 하니, 인도네시아의 섬 중에 하나란다. 그렇구나~ 그렇다네. 의문이 풀리고도 아들의 말은 끊이지 않았다. 등교준비시간인데 양치질을 하며 블루 자바 바나나를 먹어보고 싶다고 졸라댄다.

"맛이 없어 보이지 않아? 노란 바나나가 더 맛있지. 파란색은 좀 이상하잖아."
"아니. 맛있어 보이는데?"
도통 지려고 안 하는 아들의 말대꾸에 '시작이구나' 싶었다.

172

"우리나라에는 안 팔아. 생각해봐, 맛있으면 당연히 수입을 해서 팔겠지. 일단 파란색은 사람들이 안 좋아할걸. 초록색은 신선해 보이기라도 하지만, 파란색은 식욕을 떨어뜨리는 색이라고. 딱 봐도 상해보이잖아?"

"난 먹어보고 싶어. 블루 바나나는 8500원 정도 하려나?"

그 구체적인 가격은 뭔데.

"글쎄. 너 먹으려고 바나나 하나를 비행기에 실어오면 몇 백 만원은 할 걸? 많이 가져와야 가격이 싸지는 거지. 차라리 인도네시아를 가는 게 낫겠다."

갑자기 수학 공부도 아니고 가격이나 객 단가 이야기까지 나왔다.

"그럼, 인도네시아 갈까? 인도랑 인도네시아는 달라?"

"응. 달라. 일본도 아직 안 가봤는데 인도네시아는 더 먼데…."

작년부터 포켓몬스터 때문에 일본을 가고 싶다고 노래를 부르던 아이였다. 가까운 일본은 좀 더 크면 가지고 돈을 모으라고 하고 있던 참이었다. 거기에 고작 바나나 하나 때문에 인도네시아가 추가되었다. 블루 자바 바나나의 이야기를 한동안 계속 들을 것 같은 불길한 예감이 든다. 한번 꽂히면 최소 일주일은 말하는 아들의 성격을 알기에 블루 자바 바나나 이야기를 앞으로 얼마나 할지.

아들이 등교를 하고 난 후, 지구본에서 인도네시아를 찾아본다. '세계

173

에서 가장 섬이 많은 나라'라고 적혀 있다. '자바' 섬이 도대체 어디 붙었는지 보는데 안보이고 '자와' 섬이 있다. 자와가 자바인지 검색해서 두 개가 다른 것이란 걸 알았다. '자바' 섬은 인도네시아에서 4번째로 큰 섬이고 섬 중에서 인구가 가장 많은 섬이다. 그렇구나.

곧 하교할 시간이라 밖을 나가 잠시 카페에 앉아 블루 자바 바나나 이야기를 썼다. 그리고 신나게 뛰어오는 아들을 만나 돌아가는데 준비물이 있다고 해서 문구점으로 갔다. 그러다가 가까운 동네 도서관에 빌리고 싶은 책이 있어 같이 갔다. 아들은 책에 관심 없을 거라 생각했고 내 책을 고르려고 했다.
"엄마, 도서관 오랜만이다. 내가 5살 때 왔었지? 근데 나도 빌려도 돼? 몇 권 빌릴 수 있어?"
웬일로 책을 먼저 빌린다며 어린이 자료실로 들어간다.
"나, 과~학. 과학이 좋아. 어디 있지?"
하며 백과사전을 하나 고른다. 나라별로 문화, 역사가 소개된 만화책을 보다가 일본과 인도네시아는 찾아보기가 힘들다. 검색을 해서 겨우 한 권을 찾았다. 빌린 책들은 모두 책가방에 넣어서 무거웠다. 그래도 블루 자바 바나나에서 인도네시아로 옮겨간 관심은 좋은 일이다.

집에서도 놀이터까지 블루 자바 바나나가 있는 책을 본다.
"나는 이게 먹고 싶은데….."
슬쩍 못 들은 척 하고 있으니, 동생 친구에게 '너는 어떤 게 먹고 싶냐'고 묻는다. 동생이 놀이터에서 노는 동안 아들은 계속 브리태니커

174

호기심백과를 들고 본다. 관심 있는 것은 얼마나 집요하게 파고드는지 모른다. 좋은 점도 있지만 내입장에서는 귀에 딱지가 앉을 만큼 들어야 한다. 놀이터에서 실컷 놀고는 집으로 들어왔다. 이제 밥을 준비해야 한다. 그 때,

"엄마! 진짜 블루 바나나가 있어! 레드 바나나도 있어!"

뭐라고? 태블릿을 만지작거리더니 금세 검색을 해봤나 보다. 블루, 레드, 보라, 핑크 바나나 사진이 차례로 보였다.

"우리도 이거 키우자."
"식물은 함부로 들여와서 키울 수 없을 텐데."

근데 진짜 식물 덕후인지 키우는 사람들이 있긴 있었다. 한편으로는 이런 호기심으로 목화씨가 들어와서 우리가 편한 면 티셔츠를 입을 수 있구나 싶다. 전구나 커피필터 같이 호기심으로 새로운 제품이 발명되고 세상이 편해지는 것일까. 호기심에 공부하고, 호기심에 연구하고, 호기심에 도전한다. 그런 호기심으로 세상을 바라보는 어린이의 마음으로 대화를 나눠야겠다.

그림의 이유

나는 매일 저녁 8시에 그림을 그린다. 어반스케치 100일 그리기 챌린지에 참여해서 손바닥만 한 노트에 그날그날 인물 스케치를 그린다. 옆에서 그 모습을 보던, 이제 막 초등학생이 된 아들이 자신도 그리고 싶다고 한다. 30일이 지나도 보기만 하다가 유튜브 영상을 보고 그리는 것을 보고는 묻는다.

"이 사람은 구독자가 많아?"

"응. 이천 구백 사십 명이네~"

"와~이렇게 그림을 그려서 올리면 인기가 많아?"

"그림 그려서 오리는 사람도 많아. 잘 그리면 유명해져서 인기가 많은 거지. 이 분은 이미 유명해. 책도 냈는걸. 계속 많이 그리니까 잘 그리게 되는 거지."

"나도 그릴래! 엄마 그릴 때 나도 그리고 싶어."

매일 포켓몬 게임만 들여다보는 녀석이 '갑자기 웬일이래~" 그런 생각이 들었지만 어쨌든 좋다 하고 그러라고 했다.

초등학생이 되고 일찍 마쳐서 나와 같이 장을 보고 집에 있는데 문자가 왔다. 방과후 학교 수업이 추가 신청을 할 수 있다고 떴다. 아들은 "나, 애니메이션 하고 싶어!"라고 한다. 내가 처음에 권할 때는 관심이 없어 하더니, 이제 와서?

"애니메이션은 자리가 없대."

"아~아깝다. 하고 싶었는데…."

저녁 8시가 되자, 내 옆으로 와서는

"엄마, 그림 안 그려?나는 이런 팬이 없는데 나도 이걸로 그리고 싶어."

나는 라이너 펜 0.2밀리와 캔숀 90g의 제일 작은 노트를 줬다. 단체 채팅방에 올라온 유튜브 링크를 툭 쳐서 같이 따라 그린다. 너무 빨라 다시 드래그해서 그려본다. 옆에서 아들도 그린다. 근데 말이 너무 많다.

"엄마! 이 사람 너무 빨라. 이건 아닌 것 같은데…. 지울 순 없어?"

아들의 그림은 내가 보기엔 괜찮은데 늘 자신의 기대치가 높아서 불만스러워하다가 그만두곤 한다. 난 옆에서 격려하며 한번 그리고 말겠지 싶었다.

"이런 그림은 움직이는 사람을 보고 그리는 거라서 지우지 않고 틀려도 쭉 그리는 거야. 엄마 것도 봐! 이것도 이상하고 머리랑 손도 이상해졌어. 그래도 그려야지 뭐."

내 것을 보다가 자기도 그런가 싶은지 낑낑대며 그린다. 그리는 것을 보다가 다른 일로 완성된 그림을 보지 못하고 다음 날 아침에 봤다. 삐뚤삐뚤해도 마치 피카소 그림이 연상되는 그림이다. 그림을 그리려고 하고 배우고 싶어 하는 이유가 뭘까? 유치원 졸업식에 자신의 꿈을 이야기하는 코너가 있었는데 3분의 1이 유튜버 였다. 우리 아들도 인기 유튜버가 되고 싶은 게 아닐까.

"너 왜 갑자기 그림이 그리고 싶은데?"
"그냥? 그림을 좀 더 배워보고 싶어졌어."

쑥스러운 웃음을 지으며 이야기하는 게 수상하다. 아무래도 인기 있는 그림 유튜버를 꿈꾸는 게 아닐까.

추억의 만화

<드래곤볼>,<닥터슬럼프>의 만화가 토리야마 아키라 2024년 3월 1
일 별세.

<드래곤볼>과 <닥터슬럼프>의 일본 만화가인 토리야마 아키라가 하
늘나라로 가셨다. 어쩐지 인터넷 서점에 <드래곤볼> 신장판(新粧版)
이 나와서 알게 되었다. 일본 번역공부로 하는 신문사설 내용도 그의
만화이야기다.

회상 1

내가 초등학생이었나. 오빠, 언니와 셋이 그 당시 1,500원이던 만화잡
지<아이큐 점프>를 사려고 용돈을 모아 산 기억이 난다. 나는 막내라
고 300원만 냈다. 별책부록이 드래곤볼이었는데 오빠가 그것을 책상
옆에 탑 쌓듯이 고이 모아 쌓아뒀다. 오빠는 책을 아주 소중히, 깨끗
하게 보관하는 성격을 가졌다. 그런데 가장 어린 사촌동생이 보고 싶
다고 졸라서 오빠는 마지못해 그것을 다 주었다. 트렁크에 실려 간 그
만화는 당연히 숙모가 못마땅했을 것이고 어딘가에 버려졌을 것이다.
아! 지금 생각하면 그 귀한 초판본을⋯. 아, 아깝⋯다.
어릴 적 우리 삼 남매는 만화책을 아주 많이 사 모았다. 만화책만 리
어카 두 대가 나왔다. 하지만 아파트로 이사갈 때 엄마가 몰래 고물상
에서 휴지 몇 개로 바꿔오셨다. 그 많은 만화책을 고작 종이 무게로
재었다. 오빠가 그 이야기를 할 때면 기가 찬 지 넋이 있고 없고.

회상 2

피규어 매장에서 일할 때 손님이 나보고 아라레(<닥터슬럼프> 만화
의 주인공>를 닮았다고 했다. 그때는 안경을 써서 그런가. 그 때 사놓
은 드래곤볼 피규어는 결혼하고 진열장에 넣어뒀다. 그런데 우리 딸이
인형 놀이한다고 만져서 몸통이 분리되었다. 딸은 인조인간 17, 18호
언니들을 유독 좋아한다. 다리는 어디 갔는지 다시 조립해도 분리되어
굴러다니기 일쑤다. 멀쩡한 드래곤볼 피규어가 남지 않을 것 같다.

10년 전에도 오래된 만화라서 피규어가 매니아 층만 사서 그런지 가장 저렴한 편이었다. 그냥 추억을 생각하며 샀는데 손님이 선물로 주기도 했다. <드래곤볼>의 '손오공'의 어릴 적 이야기가 기억에 남고 그다음은 너무 길어서…. 계속 초~사이어인이 되는 것 밖에 모르겠다. '손오공'의 손자이름이 '손오반'이었나 '손오천'인가. 기억이 가물가물하다.

회상 3

올해 8살 아들이 작년만 하더라도 포켓몬 스티커를 모은다고 포켓몬 빵을 사고 빵만 남긴다며 한소리를 하곤 했다. 아들은 초콜릿 크림빵만 먹고 나머지는 나와 남편이 억지로 먹었다. 최근에 대형마트를 가니까 드래곤볼 빵이 나와서 너무 반가웠다. 3개 사면 할인이 더 된다길래 남편의 눈치를 보며 슬쩍 빵3개를 카트에 집어넣었다. 안에 스티커를 꺼내며 너무 좋았는데 빵을 맛보니, 너무 맛이 없다.
빵만 만든 지 오래된 회사일 텐데 어찌 호빵만 잘 만드는 건지 이해할 수 없다. 심지어 포켓몬 빵이 더 맛있다는 생각이 들어 뭔가 빵맛으로도 뒤처진 기분이다. 빵 살 때 눈치 안 보게 빵 좀 맛있게 만들어주기 바란다. 먹기 힘든 빵 말고 과자에 넣어주던지. 동네 마트에는 왜 드래곤볼 빵이 없는 것인가. 로켓배송으로 시켜야 할지 고민된다.

이것이 바로 k-style

올해 6살인 딸은 4살 때부터 조짐이 보이더니, 5살에는 자기 옷은 스스로 고른다. 보통 색깔 맞춤을 좋아해서 색상을 통일해서 머리부터 발끝까지 맞춰가며 입는다. 촌스러우면 모르겠는데 어느 순간부터 나보다 딸이 코디하는 게 더 낫다는 생각이 든다. 나는 그다지 옷에 관심도 없고 잘 입는 편이 아니다. 오히려 남편이 옷을 골라주는 센스가 더 좋다. 그것을 닮은 건지는 모르겠지만 일단 내가 편해졌다. 자신이 서랍장을 열어 겉옷과 점퍼, 양말, 머리띠까지 골라 착용한다. 시간이 조금 걸리고 인내심이 조금 필요하지만 기다려주기만 하면 되니까.

어느 날, 유치원을 다녀와서 재채기를 하기 시작했다. 하룻밤 열이 나고 다시 콧물이 났지만, 주말이라 병원에 가기로 했다. 날이 좋아 다같이 걸어가려는데 딸이 무슨 생각인지 한복을 입었다. 뭔가 웃기기도 했지만, 맑은 날에 장화를 신는 아이라 내 얼굴도 이젠 철판을 깐 듯 자연스럽다. 한복은 연 핑크색이었는데 동네 가로수인 벚나무에 꽃이 활짝 피어 그 길을 지나는데 벚꽃처럼 잘 어울렸다. 간호사 선생님께서도 '금방 작아질 텐데 잘 입었네!'라는 말을 듣는다. 그다음 날은 차를 타도 나가 꽃구경하러 가는데 이번엔 조금 작아진 연보라색의 한복을 입었다. 관광지이기도 해서 외국인 아이가 한복을 보고는 영어로 뭐라고 이야기하는 듯했다.

그날 걷기대회고 있고 봄이라 많은 사람이 모여 꽃과 자연을 만끽하며 연을 날리고 자전거 타는 모습도 보였다. 국가 정원이라 불러 넓고 자연스럽게 꾸며진 곳을 천천히 거닐며 산책했다. 딸은 한복을 입어서 지나치는 어르신들에게 '아이고~예뻐라', '공주마마 옷 입었네. 예쁘다', '선녀 같네~'라는 소리를 들었다. 어린아이를 보면 어르신들은 보통 예뻐해 주시지만, 한복을 입어서 그런지 그날따라 예쁘다는 소리를 평소보다 훨씬 많이 들었다.

딸은 한창 공주님 스타일에 빠져 있다. 오늘 예쁘다는 소리를 많이 들어서 콧대가 저만치 올라갔다. 공주병 레벨도 그만큼 올라가서 걱정이지만, 역시 한국인은 한복이 최고로 잘 어울린다. 한국인이 한복을 입는데 어른인 나는 왜 부끄러워했을까. 경주를 가도 한복은 사람들이 마치 흉내 내듯 입는다. 이미 우리에게는 일상복이 아니다. 초등학생만 되어도 안 입으려고 할지도 모른다. 최근에 우리나라에서 메이저리그 야구 경기가 열려 유명한 외국 선수들과 가족이 다녀갔다. 한복을 사갔는지 그걸 입은 외국아이 모습이 화제라고 한다.

언제부터 우리는 남을 의식하고 옷을 입게 되었을까. 외국에는 차림새에 크게 신경도 안 쓴다는데 우리나라만 유독 그런 걸까. 아니면 남들과 비슷하게 다녀야 한다는 심리 때문일까. 순수한 아이의 눈으로 어떤 선입견도 편견도 없이 떳떳하게 입고 다니는 자신감이 참 부럽다. 우리 딸, 너 입고 싶은 대로 다 입어!

내 진짜 꿈은

2024년 2월 첫 졸업식을 치렀다. 첫째가 8살이 되면서 유치원을 졸업하는 날이었고 우리 부부는 강당에 앉아 아이들의 꿈을 듣고 있었다.

졸업식에 공연으로 아이들이 직접 난타도 하고 합창도 한다. 동생들도 귀여운 율동으로 형님들의 졸업을 축하한다. 공연이 끝나고 한 명씩 졸업복을 입고 들어와서 마이크에 대고 말을 하기 시작했다.

"저는 OOO가 꿈인 OOO입니다."

라는 소개를 큰 소리로 하고는 자리에 가서 선다. 공연 몇 개가 지나고 긴 시간에 지루할 쯤 7살 친구들의 꿈 이야기에 부모님들의 귀가 솔깃하다. 옆의 남편도 출근시간 전이라 잠이 부족해 하품이 날 것 같음을 참고 있었다. 바깥에서 한 명씩 들어와 큰소리로 말하는데 '게임 유튜버'나 '게임제작자'가 꿈이라는 남자아이들이 나온다. 딱 봐도 우리 아들도 같은 이야기를 할 듯 했다. 한발 한발 터벅터벅 걸어 들어와서는 아들이 마이크에 대고 말하기 전에 뒤의 자막으로 글자를 먼저 보고야 말았다.

"저는 포켓몬 마스터가 꿈인 000입니다."

남편은 하품을 하다 말고 웃음이 터져 입을 감싼다. 나는 왠지 예상은 했지만 진짜 말할 줄은 몰랐다. 유치원생 아이의 부모라면 다들 알고 있는지라 웃음이 터졌다. 비현실적인 직업을 말하면서도 아이의 순수함에 미소를 짓게 된다.

그 이후로 유튜버가 전체의 3분의 1이었고 미술선생님처럼 예상가능하다가도 친구 따라 가는지 한 반은 대통령이 세 번 나왔다. 판사도 나오고 가끔 아이돌도 나온다. 들으면서 실제로 될지 안 될지도 모르는데 직업마다 사람들의 소리가 다르다. '택배기사'라는 말을 들을 때는 웃어야할지 말아야 할지. 직업에 귀천은 없다지만 사람의 반응은 각각 달랐다. 직업이 아니라 꿈이라고 했는데 대부분 현실의 직업을 말했다. 꿈과 장래희망은 같은 것인가?

졸업사진을 찍고 눈물을 줄줄 흘리는 선생님께 인사드렸다. 아들은 소극적인 성격인데 자시는 자기가 가장 좋다고 말하고 가장 안 받을 것 같은 '생각발표상'을 받았다. 늘 '모범상'을 받아서 똑같겠거니 하던 우리의 예상을 깼다. 그렇게 달라진 게 선생님 덕이 아니면 누구겠는가. 새삼 감사했다. 아들도 선생님을 가족 다음으로 최고로 좋다고 말한다.

집에 와서 혼자 포켓몬 카드를 늘어놓고 놀다가 내 옆에 와서 귀에 대고 비밀이라는 듯이 자그맣게 속삭인다.

"엄마, 아까 꿈이야기 있잖아…."
"응. 왜?"
"나…. 꿈 말하고 나서 조금 부끄러웠어."

혼자 비현실적인 꿈을 말해서 그런가 싶었다. 귀여워서 혹은 웃겨서 사람들은 웃었을 테고 자신도 그런 분위기를 느꼈나보다.

"엄마, 그리고 내 꿈은 사실 다른 거야."
"그래? 진짜 꿈을 이야기해도 되는데. 진짜 꿈은 뭐야?"

아이라서 오히려 '포켓몬 마스터'라는 꿈은 아이다웠다고 여겼는데 그것도 아니면 뭘까. 진지한 얼굴로 나를 뚫어지게 보는 아이는 비밀을 말하듯 속삭였다.

187

"사실 내 진짜 꿈은…포켓몬과 친구가 되는 거야.'

으응? 진지한 얼굴로 말하는데 내 표정은 더 얼떨떨헌 표정이었다가 '크핫!'하며 웃음이 터졌다. 마스터보다 친구가 되고 싶었구나. 아이의 순수함에 웃는 나에게 더 진지한 표정으로 말을 잇는다.

"아니~일본에 가면 진짜 포켓몬스터가 살잖아. 엄마도 알지? 나 일본 가서 포켓몬 찾아서 친구가 되려고…."

아, 정말 너튜브 때문에 못 살겠다. 실제로 있다고 믿는 말의 진실함을 느끼고는 답을 어떻게 해야 하나 고민이 된다. 일단 그렇게 두자. 꿈이지 않는가. 누군가의 주인이 되기보다 친구가 되길 원하는 8살의 꿈을 응원해 줘야지.

모두에게 맞는 법은 없다

아이가 미디어 세상 속에 있을 때는 그 곳에만 집중하느라 혼잣말이
많다. 나도 저녁시간에는 방금까지 밖에서 놀다 온 아이들과 같이 퍼
지고 싶은 기분이다. 하지만 옷을 벗어던지고 먹을 것을 당장 찾는 아
이들의 욕구를 채워주고 더 늦기 전에 밥을 차리기 시작한다. 오늘도
여느 때처럼 각자의 배를 채우고 피곤을 푸는 휴식시간을 나름 가진
다. 책을 읽으면 좋겠지만 둘 다 미디어를 보고 있다. 그래도 어제와

오늘은 관심사가 도서관인 아들이다. 학교 도서관을 이용하기 전에 연습하려는지 도서 대출과 반납을 할 때 '대출 할게요~', '반납 할게요' 하면 되냐고 계속 묻는다. 하교하고 도서를 대출하고 동생의 하원시간에는 놀이터에서 책을 읽다가 언제 집에 가냐고 시간을 자꾸 묻는다. 나와는 30분만 놀다가 들어가자고 했지만 그건 우리끼리의 약속이고 동생은 설득해야 될 건데. 마침 쉬 마렵다는 딸의 말에 우르르 집에 들어가서 슬쩍 말해본다.

"집에서 쉬자~맛있는 것도 먹고, 집이 따뜻하네."

고민하다가 눈에 보이는 마시멜로를 먹으며 넘어간다. 이런저런 군것질을 하는 동안 밥을 해서 먹이고서야 나도 먹었다. 쉬려고 바로 일어나 식기세척기에 그릇을 넣고 돌리며 나에게 주어진 쉬는 시간에 그저 감사할 뿐. 앉아 있다가 아들의 화상수업시간에 주변을 치워주고 식기세척기에 넣을 수 없는 남은 설거지를 한다. 주변을 닦고 독서를 한다. 내가 쉴 때면 아이는 태블릿 할 시간이 끝나고 현실 세계로 돌아오는 시간이다. 그리고 이 때 질문을 시작한다.

양치질을 하며 질문을 한다.
"엄마, 선생님은 학생을 때리는 것은 불법이야?"
"응. 그렇지. 근데 엄마가 어릴 때는 그렇지가 않아서 잘못하면 벌도 서고 손바닥이나 엉덩이도 맞았어. 지금은 그러면 안 된다 해서 때리면 안 되지."

내가 한 번 언급한 이야기라서 하는 말인가 싶었는데,

"엄마, 법을 어기면 그 공무원?이 잡아가는 거야? 공무원이 뭐야?"

"공무원? 나랏일을 하는 사람이지."

그건 또 어디서 들은 건지, 공무원이란 말도 안다.

"선생님도 공무원이고, 경찰도, 소방관도 공무원이고…나라를 위해 대신 일하는 분들이지."

뭔가 할 말이 있는 것 같기도 하고 학교에서 뭔가 들은 건가 싶기도 하고 골똘히 생각하는 눈치다. 아이에게 뭔가 알려줄 때는 잘못 알게 될까봐 늘 조심스럽다.

"법이란 여러 사람이 살려면 규칙을 만들어 지켜야 되거든. 그래서 만들고 어기면 벌을 받는 거지. 그런데 법이 바뀌기도 하고 모두 옳다고도 할 순 없어. 엄마가 어릴 때는 학생이 잘못하면 벌로서 때려도 되었는데 그것 때문에 심하게 때리는 선생님이 있기도 했어. 근데 지금은 때리면 안 되니까 그렇다고 학생이 그걸 이용해서 수업을 방해하고 그러는 경우도 있지. 법을 나쁘게 이용해서 쓰면 안 돼."

"엄마도 맞은 적 있어?"

"응. 칠판에 낙서하지 말라고 했는데 하다가 혼났어. 그리고 한 명이 잘못해도 같이 벌선 적도 있지."

과거를 회상하며 기분 나빴던 초등학생 시절 딱 한 번 혼난 일과 고

등학교시절 자습시간에 연대책임으로 다같이 손든 시간들이 스쳐지나
갔다.

"왜? 다른 사람이 잘못 했는데 왜 같이 혼나?"

생각지도 못한 질문에 순간 당황했다. 누가 했는지 이야기 안하면 보
통 그렇게 흘러가던데 당황해서 얼버무렸다. 그러자 아들은 오늘 있었
던 일을 말한다.

"엄마, 오늘 00가 수업시간에 너무 떠들고 말을 안 들어서 선생님이
제자리에서 40바퀴 돌게 했어."
아, 본론은 그 이야기를 하고 싶어서 말을 꺼낸 것이구나. 그리고 보
면 그 친구가 유치원 선생님을 울린 적이 있다는 말을 들은 기억이
난다.

"40바퀴? 제자리에서 빙글빙글 돈 건가? 어지럽겠네. 수업시간에 떠
들고 방해하면 다른 친구들한테 피해가 가니까 그렇게 하셨나보다."

결국 이것 때문에 빙빙 돌려서 말한 것이었다. 아들은 종종 이런 식으
로 분위기를 봐가며 질문을 해서 살피며 말하는 식이다.

"때리면 안 되고, 그렇다고 수업을 방해하는 아이를 그냥 두면 다른
친구들에게 피해가 가잖아. 그래서 그러셨겠지."

"나는 한 번도 혼난 적 없어."
"엄마도 별로 혼나본 적 없는 걸."

너나 나나 범생 스타일이라 내가 더 잘 알지. 그래서 한 번 혼나면 타격감도 클 것이다. 혹시나 그게 오래갈까봐 경험상 나를 부분적으로 닮은 아이에게 미리 말한다.
"가끔 혼날 수도 있어. 친구랑 놀다보면 그런 경우도 생기고 하니까 너무 속상해 하진 말고, 여러 사람이 같이 생활하려면 규칙을 지켜야 하니까."

염려하는 내 말에도 아들은 그저 나를 놀리듯 말한다.
"나는 혼난 적 없지롱. 엄마는 혼났대요~"

아이들은 아직 어리고 앞으로 살면서 겪을 일과 감정이 많겠지. 내가 그것을 대신해줄 순 없지만 속상할 때 엄마에게 이렇게 털어놓을 수 있는 관계를 계속 유지하기를 바란다. 나도 가끔 아이의 질문에 '이게 맞나?'하는 생각을 다시 하게 된다. 아이에게 잘못된 생각을 심어줄까 저어대어 다시 말을 덧붙인다.

"그런데 법이란 말이야. 많은 사람들이 생각하고 만들지만, 그걸 잘못 사용하는 사람도 있어. 그리고 오래된 법은 현실이랑 안 맞는 경우도 있지. 법이라고 해서 다 맞다는 것은 아닌데 여러 사람이 지켜야 한다고 만든 거라서 지키는 거지."

그렇게 오늘도 나의 말에 알쏭달쏭한 어린이지만 이렇게 대화하다보면 쌓여서 생각하는 사람이 되지 않을까. 나 역시도 아이의 질문에 깊이 생각하게 되는 순간이다. 법이란 과연 모두에게 좋은 것인가를. 갑자기 책 제목이 생각난다. 뉴스를 잘 안보는 나도 알게 된 사건의 피해자가 책을 썼다고 한다. 제목은 <싸울게요. 안 죽었으니까요>다. 이 책의 저자를 응원도 할 겸 그런 상황에서 어떻게 대처했는지 알면 좋을 듯해서 꼭 읽어봐야겠다는 생각이 문득 든다. 싸우지 않아도 법이 정당한 심판을 내리기를 바라며 더 나은 세상에서 아이가 자라길 바란다.

손유진이 본 일상애(愛)say

이 책을 기획하는 단계부터 가슴이 뛰기 시작했다.
작가님들의 일상을 엿볼 수 있다는 생각에서였나보다.

일상을 사랑하는 마음으로 두 달을 기록해보자고 했다. 역시 예상대로
작가들의 일상은 사랑스럽다.

매일 반복되는 것 같지만, 그 속에는 각자의 고유한 이야기가 담겨 있
었다. 하루의 시작을 알리는 햇살을 사랑하는 작가, 소중한 사람들과
의 대화를 즐기는 작가, 책 속에서 위안을 찾는 작가, 아이들의 웃음
소리에 행복을 느끼는 작가, 그리고 자신만의 취미에 몰두하는 작가.
모두가 자신의 일상을 소중히 여기며, 그 순간들을 사랑으로 기록했
다.

작가님들의 글과 사진을 보며, 나 역시 일상의 소중함을 다시금 깨닫
게 되었다. 우리는 때때로 바쁜 일상 속에서 작은 기쁨과 감동을 놓치
곤 한다. 그러나 이 책을 통해 일상을 사랑하는 마음을 다시금 일깨워
주었다. 사랑하는 사람들과의 대화, 좋아하는 책을 읽는 시간, 아이들
의 웃음소리, 그리고 나만의 시간을 보내는 순간들이 얼마나 소중한지
다시 한번 느낄 수 있었다.

작가님들의 이야기를 읽으며, 나는 그들의 일상 속으로 여행을 떠난 듯한 기분이 들었다. 그들의 일상을 통해 나의 일상을 돌아보고, 소중한 순간들을 마음속에 새기게 되었다.

일상의 작은 순간들이 모여 우리의 삶을 더욱 풍요롭게 만든다는 것을 알아차리는 시간들이다.

여러분도 자신의 일상을 사랑의 눈으로 바라보게 되기를 바란다. 바쁜 하루 속에서도 잠시 멈춰서, 소중한 순간들을 느끼고, 그 순간들을 마음에 새겨보자.

우리의 삶은 이러한 작은 순간들이 모여 이루어진다는 것을 잊지 말자. 일상을 사랑하는 마음으로 앞으로의 날들도 소중히 살아가기를 바란다.

감사합니다.

2024년 봄과 여름사이,
일책성장 리더 손유진